CW01095188

FOLIO JUNIOR

Le Livre des Étoiles

I. Qadehar le Sorcier

II. Le Seigneur Sha

III. Le Visage de l'Ombre

Illustrations du carnet : Jean-Philippe Chabot
Conception des cartes : Vincent Brunot

Erik L'Homme

Le Livre des Étoiles

I. Qadehar le Sorcier

GALLIMARD JEUNESSE

NORD
GIFDU
PORTES DES DEUX MONDES
LANDE TOURMENTÉE
MONTAGNES POURPRES
LANDE DES KORRIGANS
DASHTIKAZAR
TROÏL
FORÊT DE TANTREVAL
FORÊT DE PAIMPEROL
VIEILLE CHAUSSÉE
BOUNIC
KRAKAL
LANDE AMÈRE
MONTAGNES DORÉES
LE PAYS D'YS

OCÉAN
IMMENSE
DJAGHATAËL
VIRDU
NORD
LE MONDE INCERTAIN

Nord
Incertain
Irtych
Violet
Porte du Monde
mer
des
Grands vents
Ferghânâ
Route de pierre
Collines
mouvantes
Yénibohor
Désert Vorace
Yâdigâr

À Jean-Philippe, mon Maître-Sorcier
À mes amis restés au Pays d'Ys…

1
Bousculades

La sonnerie annonçant la fin des cours n'avait pas encore fini de retentir. Guillemot de Troïl se faufila au milieu des autres élèves qui se pressaient dans les couloirs du collège. C'était le début du mois d'avril, mais il faisait beau déjà, et tout le monde n'avait qu'une envie : rejoindre la plage pour s'amuser, se baigner si l'eau était assez chaude, et se détendre après une trop longue journée d'études.

Guillemot ne se dépêchait pas pour les mêmes raisons… Il était vital pour lui d'atteindre la cour parmi les premiers afin de semer Agathe de Balangru et sa bande dans les ruelles de Dashtikazar !

– Allez, allez, dépêchez-vous, laissez-moi passer, marmonnait le garçon en se frayant un passage à travers la foule bruyante des collégiens.

Derrière lui il entendit quelqu'un hurler :

– Je le vois ! Il est près de la porte !

Inutile de se retourner ; il avait reconnu la voix de Thomas de Kandarisar, le lieutenant d'Agathe. Cela décupla son ardeur. Il approchait enfin de la sortie quand, dans ses efforts pour dépasser tout le monde, il bouscula un grand de troisième.

– Holà, l'avorton ! Tu me cherches ou quoi ?

– Heu… Non, non, bien sûr que non, bafouilla Guillemot. Je veux juste sortir…

Il jetait des regards affolés par-dessus son épaule. Le gaillard le tenait solidement. Il vit Agathe, suivie par ses amis, s'approcher avec une expression triomphante.

C'était une fille grande et maigre, aux cheveux sombres coupés court, dont les yeux noirs brillaient méchamment au-dessus d'une bouche trop large.

– Laisse, Marco, ordonna-t-elle. C'est notre affaire.

Le dénommé Marco hésita, puis lâcha le jeune garçon et s'éloigna en haussant les épaules. La bande d'Agathe, qui suivait comme Guillemot les cours de cinquième, était redoutée dans tout l'établissement, même par les plus grands.

Agathe faisait face au fuyard. Guillemot, le visage empourpré sous une tignasse de cheveux châtains, la défiait du regard.

– Oh, mais notre roquet a l'air en colère, dit-elle d'un ton moqueur qui provoqua le rire de ses acolytes en faction près de la porte.

– Laisse-moi tranquille ! Jamais je ne te donnerai mon médaillon, cria Guillemot en serrant les poings.

– On va voir ça, répliqua froidement Agathe, qui fit un signe explicite à l'un des garçons de sa bande, roux et trapu.

Celui-ci bondit sur Guillemot et, à l'issue d'une courte lutte, l'immobilisa avec une clé de bras.

– Lâche-moi, Thomas, ou tu le regretteras, souffla péniblement Guillemot à l'oreille de son adversaire, qui se contenta de ricaner.

Avec des allures de reine cruelle, Agathe s'approcha, fouilla le col de sa victime et trouva un petit soleil en or au bout d'une fine chaîne du même métal.

Elle s'en saisit et le passa autour de son propre cou.

– Tu n'as pas le droit, gémit l'infortuné Guillemot que bloquait toujours le garçon aux cheveux roux. C'est mon père qui me l'a donné.

– Ton père ? Je croyais que tu ne l'avais jamais connu, et même, ajouta-t-elle en approchant son visage du sien, qu'il s'était fait Renonçant à cause de toi !

Sur le coup, Guillemot faillit fondre en larmes, mais sa fierté l'en empêcha et il baissa la tête. Ce fut le moment que choisit le directeur pour faire son apparition. Son bureau n'était pas loin et il avait entendu des éclats de voix, inhabituels pour l'heure.

– Allons, les enfants, que se passe-t-il ? demanda de sa voix bourrue l'homme que l'embonpoint avait gagné avec l'âge.

– Mais… rien du tout, monsieur le directeur, répondit Agathe qui arborait à présent un grand sourire. Guillemot de Troïl nous racontait une histoire… une histoire passionnante ! Pas vrai ?

Les autres acquiescèrent bruyamment. Le directeur se tourna vers Guillemot.

– Une histoire, mon garçon, une histoire… fit-il d'un air songeur. Eh bien ce n'est ni le lieu ni le moment, ajouta-t-il avec brusquerie. Allez, tous, filez ! Que je ne vous revoie plus avant demain matin ! Non, pas toi Guillemot, reste.

La bande d'Agathe quitta le couloir en lançant au garçon des regards lourds de menaces.

– Alors, mon petit, tu as des ennuis ? Y a-t-il quelque chose que tu voudrais me dire ?

– Non, rien du tout, monsieur le directeur. Je vous assure ! Est-ce que je peux partir, maintenant, moi aussi ?

L'homme observa un moment le garçon qui tremblait légèrement, les yeux embués, puis haussa, lui aussi, les épaules.

– Oui, allez, file !

Guillemot se précipita hors du collège, s'engouffra dans la rue et ne s'arrêta de courir qu'après avoir atteint les premières collines qui dominaient la ville. Il jeta son sac au pied d'un menhir fendu par la foudre, s'assit par terre et, fixant l'océan qui scintillait plus bas, laissa libre cours à son chagrin.

Guillemot avait eu douze ans à l'équinoxe d'automne. C'était un garçon solide et résistant, malgré une apparence chétive. Il n'était pas très grand pour son âge, et cela l'ennuyait surtout parce qu'il ne pouvait pas se défendre comme il l'aurait voulu contre ceux qui prenaient un malin plaisir à le tourmenter. Ses problèmes avec Agathe avaient commencé dès la rentrée. Non pas parce qu'il était bon élève (la cible préférée des cancres fiers-à-bras), ses résultats scolaires restant volontiers dans la moyenne ; mais parce qu'il avait commis l'imprudence de venir au secours d'un petit de sixième que la bande d'Agathe terrorisait. Depuis, il était devenu leur souffre-douleur favori. C'était plus fort que lui : il se fourrait toujours dans des situations désagréables ! Arriverait-il, un jour, à maîtriser ce réflexe idiot qui, malgré sa timidité, le poussait à se mêler de ce qui ne le regardait pas ?

Guillemot repoussa la mèche qui lui tombait sur le front. Ses cheveux toujours en bataille cachaient en partie ses oreilles un peu décollées, et mangeaient son visage fin et rêveur, éclairé par des yeux verts lumineux, et par une bouche qui aimait sourire. Enfin, d'ordinaire, car en ce moment précis Guillemot n'avait pas du tout envie de sourire…

Il ramassa un caillou et, de rage, le lança sur la route.

Est-ce que c'était sa faute si son père avait décidé, peu avant sa naissance, de quitter le Pays d'Ys pour vivre en France, devenant ainsi un Renonçant et le condamnant à ne jamais le connaître ? Et Agathe, qui venait de lui prendre le précieux pendentif, l'unique héritage que cet homme avait laissé pour lui à sa mère !

« Que les Korrigans l'enlèvent et la fassent danser jusqu'à la fin des temps ! » jura Guillemot.

Il respira profondément l'odeur d'iode qu'un petit vent apportait de la mer ; parce qu'il avait un tempérament volontaire, et surtout parce que Agathe aurait été trop contente de le savoir malheureux, il s'efforça d'oublier ses ennuis.

Son regard se perdit sur les toits en ardoise gris pâle des maisons de Dashtikazar, qui s'appuyaient les unes contre les autres pour surplomber, du haut de quatre ou cinq étages, des rues étroites et sinueuses. La cité de granit clair avait fêté ses mille ans l'année passée. Dashtikazar la Fière… Comme il aimait cette ville pleine de surprises, couchée contre la montagne et ouverte sur la mer ! C'était la capitale, le cœur battant du fier Pays d'Ys !

Le Pays d'Ys, comme Guillemot l'avait appris en cours d'histoire et de géographie, avait été, huit siècles plus tôt, un petit morceau des côtes françaises qui s'était détaché au cours d'une effroyable tempête. Ys avait alors dérivé vers le large, puis des vents contraires l'avaient ramené vers les terres, où il avait repris sa place. Mais une place particulière : car le pays, transformé en île, ne figurait pas sur les cartes, et les habitants de France ignoraient son existence. Ys s'était ancré quelque part entre le Monde Certain, auquel il appartenait avant, et le Monde Incertain, étrange et fantastique. Une porte permettait de rejoindre le premier et une autre le second. Les deux portes étaient à sens unique, sauf, de temps en temps, quand le Conseil du Prévost estimait qu'Ys manquait de produits essentiels – comme du nutella ou des bobines de films récents ! Cette précaution était le seul moyen de préserver Ys de l'un et l'autre des deux mondes.

On ne connaissait du Monde Incertain que peu de chose, sinon qu'il était vaste et qu'il recelait bien des dangers. Le Monde Certain, c'était différent ! Au Pays d'Ys, on captait, en effectuant un tri dans les programmations, les radios et télévisions françaises, et le programme scolaire était, à quelques détails près, celui de l'Hexagone. De plus, parmi les dirigeants français, certains initiés connaissaient l'existence du Pays d'Ys : sur certains documents secrets, il figurait sous le nom de « Quatre-Vingt-Dix-Septième Département métropolitain ». C'était par l'intermédiaire de ces personnes dans la confidence que les habitants d'Ys, qui voulaient vivre ailleurs et autrement, obtenaient les papiers et l'aide indispensable à leur installation définitive en France, en Europe ou ailleurs ; ces gens-là étaient les Renonçants. Ils renonçaient à Ys, pour toujours. D'autres – ils étaient rares ! – préféraient parfois tenter l'aventure dans le Monde Incertain ; c'était pour la plupart des condamnés à l'errance, la peine maximale que l'on infligeait à Ys, des individus avides de richesse ou attirés par l'inconnu, ou bien vraiment désespérés. Tous ceux-là devenaient des Errants.

Ceux qui restaient à Ys, quant à eux, vivaient sur une grande île chaude l'été et froide l'hiver, montagneuse, couverte de forêts profondes et de landes immenses, parsemée de petites villes, villages et hameaux, en tout point semblable à un département du Monde Certain ! Mais là aussi, à quelques détails près.

Un bruit de sabots tira Guillemot de ses rêveries. Sur le chemin, à quelques mètres de lui, se tenait un homme vêtu d'une splendide armure turquoise, armé d'une épée qui pendait à son côté gauche et d'une lance longue comme deux fois sa monture. Son cheval, gris, était recouvert de fines mailles d'acier qui tintaient à chaque mouvement.

Guillemot se leva précipitamment.

– Tout va bien, mon garçon ? lui lança le cavalier avec douceur.

– Oui, messire Chevalier, tout va bien, merci ! répondit-il.

– Ne traîne pas trop longtemps dans les collines, ce soir, continua l'homme en caressant l'encolure de son cheval qui piaffait d'impatience. Les Korrigans ont leurs fêtes, ces jours-ci, et tu sais les tours qu'ils aiment jouer aux hommes !

En éclatant de rire, le cavalier salua Guillemot et partit au galop en direction de la ville. Le garçon était ému : c'était son rêve secret, son désir le plus fou et le plus cher d'appartenir un jour à la Confrérie des Chevaliers du Vent. Ces chevaliers, sous les ordres de leur Commandeur et sous la surveillance du Prévost de Dashtikazar, veillaient à la sécurité d'Ys et, dirigés par leur seule conscience, apportaient leur secours à tous ceux qui en avaient besoin.

Obéissant aux recommandations du Chevalier, Guillemot prit la direction de la maison où il vivait seul avec sa mère, à l'entrée du village de Troïl, situé à quelques lieues de la capitale. Les Korrigans, même s'ils n'étaient pas les créatures les plus dangereuses d'Ys, étaient imprévisibles et leurs jeux pouvaient se révéler parfois cruels.

2
Une bonne surprise

– M'man ! C'est moi ! Je suis rentré !

Guillemot se précipita à la cuisine et ouvrit le réfrigérateur. Il en sortit du beurre qu'il posa sur la table à côté du pot de nutella. Il découpa une belle tranche de pain dans la miche qui trônait sur le buffet, se confectionna une énorme tartine et se mit à la dévorer.

Les émotions, cela creusait ! Au moins autant que les douze kilomètres qu'il était obligé de faire à pied lorsqu'il ratait la carriole du ramassage scolaire !

– C'est toi que j'ai entendu, mon chéri ? Où es-tu ?

– Ichi, à la cuijine ! crachota Guillemot, la bouche pleine.

Sa mère entra d'un pas vif dans la pièce, en souriant. Elle avait la taille fine, serrée dans une robe noire (d'aussi loin qu'il pouvait se souvenir, Guillemot l'avait toujours vue habillée de noir), de longs cheveux d'or légèrement bouclés qui lui tombaient sur les reins et de grands yeux couleur du ciel. Alicia était bien une Troïl ! Guillemot, avec sa faible stature, ressemblait davantage à son père, c'est du moins la conclusion à laquelle il était arrivé, personne jusqu'à présent (malgré ses demandes fréquentes) n'ayant daigné évoquer son père autrement que superficiellement.

– Tu as passé une bonne journée ? demanda Alicia de Troïl en posant un baiser sur le front de son fils.

– Pas plus mauvaise qu'une autre, éluda le garçon d'une voix terne en s'emparant du programme télé qui traînait sur une chaise. Oh, génial ! Il y a un film, ce soir !

Un large sourire illuminait à présent le visage de Guillemot. Madame de Troïl se contenta de le regarder, d'un air amusé, les bras croisés.

– Pas de télé ce soir, Guillemot.

Guillemot se détendit comme un ressort et sauta de sa chaise. Les films étaient rares parmi les programmes recomposés par la Commission culturelle de la Prévosté d'Ys, qui privilégiait les reportages et les documentaires. Il se sentait donc prêt à entamer l'une de ces longues disputes qu'il avait parfois avec sa mère à propos de la télévision ! Mais elle le coupa dans ses intentions d'un geste de la main.

– Tu as oublié ? C'est l'anniversaire de ton oncle Urien ce soir. Je sais, je sais, tu ne l'aimes pas beaucoup… mais toute la famille sera chez lui. Toute la famille et… quelques amis !

Elle avait prononcé les derniers mots avec une intonation mystérieuse. Guillemot avait d'abord entrouvert la bouche pour protester, puis s'était figé.

– Tu veux dire qu'il y aura…

– … ton cousin Romaric, avec ton ami Gontrand, et les jumelles, Ambre et Coralie ! Romaric et les filles devraient d'ailleurs passer te prendre ici. Tu n'as qu'à les attendre. Quant à moi, il faut que je parte en avance pour aider mon frère à recevoir ses invités.

Madame de Troïl regarda un instant, avec tendresse, son fils sauter de joie dans la cuisine. Puis elle s'esquiva pour finir de se préparer.

Guillemot grimpa les marches quatre à quatre et déboula dans sa chambre. Un coup d'œil lui rappela qu'il ne l'avait pas rangée depuis au moins une semaine. Il soupira et entreprit d'y mettre un peu d'ordre. C'était dans sa chambre qu'ils se réunissaient toujours, avec ses amis, et ils n'iraient pas chez son oncle avant d'y avoir passé un moment !

Il referma son ordinateur portable qui traînait sur un tabouret et le glissa dans un tiroir du bureau, replaça les livres éparpillés sur le tapis dans les rayonnages de sa bibliothèque, secoua le dessus-de-lit avec lequel il cacha sa couette toute chiffonnée…

Quelqu'un frappa à la porte d'entrée.

– Guillemot ! C'est nous !

– Montez ! hurla Guillemot en poussant sous l'armoire les derniers vêtements qui traînaient par terre.

Une porte claqua, il y eut des rires, et un bruit de cavalcade : deux filles et un garçon déchaînés prirent d'assaut la chambre.

– Je suis tellement content de vous revoir ! s'exclama Guillemot.

– L'anniversaire de l'oncle Urien doit être important cette année, pour qu'on nous fasse manquer l'école deux jours entiers ! déclara Romaric de Troïl, le cheveu blond et l'œil bleu volontaire, qui paraissait aussi costaud que son cousin semblait fragile.

– Tu ne vas pas t'en plaindre, quand même ! Depuis combien de temps est-ce qu'on ne s'est pas vus ? demanda avec un de ces sourires dont elle avait le secret et qui faisaient fondre les garçons, Coralie de Krakal, une ravissante fille brune, au corps élancé et aux yeux bleu océan.

– Depuis les vacances de Noël, répondit Ambre en dardant sur Guillemot un regard insistant qui le fit rougir jusqu'à la racine des cheveux.

Semblable en tout point à sa sœur jumelle, Ambre s'en distinguait par une coupe de cheveux et une allure très garçonnes. Son tempérament lui attirait la méfiance de la plupart des garçons, mais elle s'en moquait, et même s'en amusait ! Elle aimait tout particulièrement taquiner Guillemot. Avec lui, cela marchait toujours, et malgré ses efforts pour rester impassible à ses provocations, Guillemot sentait à chaque fois son visage s'empourprer. Cependant, Ambre était une fille fidèle en amitié, qui n'avait jamais froid aux yeux, et sur laquelle on pouvait vraiment compter.

– Et Gontrand ? demanda Guillemot pour échapper aux yeux moqueurs d'Ambre. Il n'est pas venu ?

– Si, bien sûr ! le rassura Romaric. Mais il a dû monter directement au château, pour aider ses parents à porter leurs instruments. Tu aurais vu ce cirque quand on est partis ! Tout le monde croyait qu'ils déménageaient !

Romaric et Gontrand habitaient l'un près de l'autre, à l'autre bout du Pays d'Ys, dans la petite ville de Bounic, à deux jours de carriole de Troïl. Ambre et Coralie un peu moins loin, sur la côte est de l'île, dans le village de Krakal dont leur père, Utigern, était à la fois le maire et le Qamdar. Un Qamdar, c'était un chef de clan. Utigern était donc le Qamdar du clan des Krakal, tout comme Urien, l'oncle de Guillemot et de Romaric, était celui du clan des Troïl. C'était pour cela que les Krakal avaient été conviés à la soirée d'anniversaire.

Quant aux parents de Gontrand, ils étaient les plus grands musiciens d'Ys ! Comment aurait-on pu ne pas les inviter ?

– Je regrette d'avoir raté ça ! s'exclama Guillemot. Gontrand transformé en mule... Je l'imagine tout à fait râler à voix basse, en se recoiffant avec la main !

– Ça l'endurcira un peu, cette mauviette ! lança Ambre avec une moue en jetant un regard noir sur sa sœur qui faisait sa coquette devant une vitre de la fenêtre.

Ils rirent tous ensemble.

– Papa a dit qu'il y aurait tout le gratin d'Ys à cette soirée, lança gaiement Coralie en rejoignant les autres déjà allongés sur le tapis épais en poil de chèvre.

– Et pas seulement les alliés du clan des Troïl, renchérit Ambre. Urien a aussi envoyé des invitations à des familles ennemies. Histoire d'essayer de calmer les tensions.

– Des familles ennemies... comme les Balangru ou les Kandarisar ? demanda Guillemot dont le visage s'était rembruni.

– Ne me dis pas que cette saleté d'Agathe et ce déchet de Thomas continuent de t'embêter ? lâcha Romaric avec emportement. Bon sang, si je pouvais prendre ta place ne serait-ce qu'une fois ! Je leur ferais passer le goût de s'en prendre aux faibles !

Romaric se mordit la lèvre et regretta immédiatement ses paroles. Guillemot sourit tristement.

– De toute façon, reprit Romaric avec la ferme intention de réparer sa maladresse, ce soir tu ne seras pas seul ! Qu'ils essayent un peu de se frotter à notre clan !

À peine eut-il terminé qu'Ambre poussa un hurlement de guerre, sauta sur ses pieds et improvisa une danse d'Indiens. Dans un rugissement, Romaric la rejoignit :

– Approchez, Agathe le Squelette et Thomas la Belette, venez vous mesurer à Romaric aux muscles d'acier, à Gontrand le Rusé, à Coralie la Fée, à Ambre Sans Pitié et à Guillemot le Chevalier !

Coralie applaudit au spectacle, puis elle annonça, les yeux brillants :

– J'ai hâte d'être au bal ! J'adore danser, moi aussi !

– Tu adores surtout voir les idiots se bousculer pour t'inviter à danser, précisa Ambre avec un mépris calculé. Moi, j'espère qu'il y aura des Chevaliers… des vrais !

– Moi, fit à son tour Romaric, je me contenterai du buffet. Sacrée cuisine que celle de l'oncle ! Et toi, Guillemot ?

– Moi, soupira Guillemot qui ne pouvait s'empêcher de penser à son médaillon et qui n'éprouvait pas de joie particulière à aller chez son oncle, je préférerais qu'on reste là, entre nous, loin d'Agathe et de sa bande.

– Mais réagis, sacré nom ! Nous sommes ici en terre Troïl, c'est elle qui devrait se sentir mal ! lui lança Ambre en le secouant gentiment par l'épaule. Et puis arrête un peu de penser à cette Agathe, il y a d'autres filles, non ?

Elle lui décocha un nouveau regard qui eut pour effet de le faire rougir une fois de plus et de provoquer un fou rire chez les autres.

– Ça va être l'heure, annonça Romaric après avoir consulté sa montre. Si je me pointe en retard, ça sera ma fête et plus seulement celle d'oncle Urien…

– Oh, pauvre petit chéri ! minauda Coralie.

– Son papa va le gronder ! se moqua Ambre en le bourrant gentiment de petits coups de poing.

– Arrêtez, quoi, c'est pas drôle… se défendit Romaric en jetant un coussin sur le plus proche de ses assaillants.

Chose à ne jamais faire quand on est seul contre trois et qu'il reste encore plusieurs coussins dans la chambre !

À demi assommé par les autres, il demanda bientôt grâce.

3
Une gifle bien méritée

La demeure d'Urien de Troïl se dressait sur les hauteurs du village. C'était un bâtiment de deux étages, flanqué de deux tours carrées et protégé par une épaisse muraille, en pierre de taille comme toutes les constructions de la région, qui évoquait davantage un austère château du Moyen Âge qu'un palais prévu pour les réceptions. Le temps n'était pas si loin où les querelles étaient fréquentes entre les principaux clans du Pays d'Ys !

– Dépêchons-nous ! souffla Romaric en tête du petit groupe qui se hâtait vers la maison forte des Troïl.

– Du calme, Romaric, haleta Guillemot. Regarde, il y en a qui arrivent encore.

Tous les quatre s'étaient engagés dans la cour pavée où des voitures attelées déposaient les invités en habit de fête. Les véhicules à moteur n'étaient pas d'usage à Ys. D'ailleurs, rien de ce qui était vraiment polluant n'était autorisé.

L'électricité était produite par les grandes éoliennes de la Lande Tourmentée et, pour les besoins de la maison, par de discrets panneaux solaires. Le chauffage se faisait au bois ou bien était tiré du sol au moyen d'un ingénieux système de capteurs.

– Où étiez-vous passés ? gronda l'homme aux cheveux blancs qui accueillait les invités à l'entrée. Monsieur de Troïl a déjà demandé après vous !

– Bonsoir, Valentin ! dit Ambre avec un sourire. Désolée, on était retenus à danser… par les Korrigans !

– Monstres ! fit semblant de se fâcher le portier.

– Bonsoir, Valentin ! dit Coralie en l'embrassant.

– Bonsoir, Valentin ! saluèrent à leur tour Romaric et Guillemot en faisant mine de le boxer.

– Tout le monde est dans la grande salle, annonça Valentin. Ça va être l'heure du discours du raseur !

Ils rirent de son impertinence. Valentin était bien plus qu'un portier, c'était aussi l'intendant, le majordome, le régisseur, l'homme de confiance d'Urien de Troïl, qu'il avait accompagné dans toutes ses aventures.

Pressés par lui, ils pénétrèrent dans le bâtiment.

Ils empruntèrent un grand couloir et débouchèrent dans une vaste pièce, chauffée par un grand feu de cheminée et bruyante de monde.

– Oh non, gémit Guillemot, elle est déjà là.

– Où ça ? demanda Coralie en jetant des regards curieux à la ronde.

– Près de papa, vers le buffet, indiqua Ambre la bouche pincée. Elle se croit à Mardi Gras ou quoi ?

Agathe de Balangru, outrageusement maquillée, les aperçut à son tour et leur fit un petit signe provocateur.

– Laisse tomber, Guillemot, soupira Romaric. Allons plutôt tirer Gontrand des griffes de notre oncle.

Le petit groupe se dirigea vers un géant à la barbe grise broussailleuse, qui parlait fort et éclatait à tout propos d'un rire tonitruant. À ses côtés se tenaient plusieurs personnes, parmi lesquelles un garçon qui semblait s'ennuyer ferme.

C'était Gontrand de Grum, aisément reconnaissable à sa grande taille et à ses cheveux noirs soigneusement coiffés.

– Ahah ! beugla Urien de Troïl. La voilà enfin, la descendance des Troïl !

– Accompagnée de leurs fidèles amies, mon oncle, répondit Romaric qui s'était fait happer par le colosse, et que ses grands airs n'avaient jamais impressionné. Voici Ambre et Coralie de Krakal.

– Mes beautés ! s'exclama Urien en écrasant presque les jumelles dans ses bras. Je n'aurais jamais cru que ce renard d'Utigern fût capable de faire des choses aussi jolies !

Puis il se tourna vers Gontrand dont le visage s'était illuminé depuis l'arrivée de la bande :

– Je suis content d'avoir fait ta connaissance, jeune Grum. Et je t'espère aussi talentueux que tes parents, déclara-t-il, en lui broyant l'épaule.

Il les renvoya tous gentiment après avoir éclaté d'un rire énorme, gratifiant Guillemot d'une simple tape sur la joue, reprenant la discussion qu'il avait interrompue. Les deux cousins s'esquivèrent, suivis des trois autres, en direction de la cheminée.

– Quelqu'un peut me dire si j'ai encore une épaule droite ? fit semblant de pleurnicher Gontrand.

– Quel homme ! s'extasia Coralie.

– Oui, c'est moi tout craché... ironisa Guillemot qui ne savait jamais s'il devait se réjouir ou se désoler de la froideur avec laquelle son oncle le traitait depuis toujours.

– En tout cas, vous en avez mis un temps pour venir ! se plaignit Gontrand. Porter la harpe de ma mère, même si elle pèse une tonne, je veux bien ; mais subir les claques de votre oncle, c'est inhumain !

– Plains-toi, rétorqua Romaric. Il y en a qui paieraient pour pouvoir être présentés à Urien de Troïl.

– Et même pour se faire tapoter l'épaule ! ajouta Guillemot.

Romaric serra un peu rudement son cousin contre lui, heureux de le voir retrouver, avec son humour, un peu de bonne humeur.

– Touchant, très touchant, cette scène de famille, entendirent-ils soudain derrière eux.

Ils se retournèrent brusquement. Face à eux se tenaient Agathe et son inséparable lieutenant, plus roux et plus massif que jamais, Thomas de Kandarisar.

– Quel dommage, continua-t-elle, qu'un homme comme Urien n'ait le choix pour lui succéder qu'entre un avorton débile et une brute stupide.

Avec un rugissement, Romaric se précipita sur elle, mais il fut intercepté par Thomas. Comme l'un et l'autre étaient de force égale, la lutte tourna court.

– Allons, Romaric, allons, continua Agathe en secouant la tête et avec un sourire narquois. S'en prendre à une fille, toi qui ambitionnes un jour de devenir Chevalier !

– Moi aussi je suis une fille, gronda subitement Ambre. Alors qu'est-ce que tu pourras dire à ça ?

Sans que personne ait le temps de réagir, Ambre se

déplaça avec une rapidité surprenante et gifla la grande fille, qui resta figée de stupeur. Ce fut le moment que choisit Urien de Troïl pour réclamer l'attention et le silence.

– Toi, tu me le paieras ! siffla Agathe en pointant son doigt sur Ambre qui avait croisé les bras et pris un air satisfait. Quant à vous autres…

Elle n'acheva pas sa phrase. Tournant brusquement les talons, suivie par un Thomas désolé, elle rejoignit le cercle de sa famille près du buffet.

– Ma sœur, tu ne sais pas t'habiller, mais pour ce qui est de gifler, c'est toi la meilleure ! reconnut Coralie dans un chuchotement.

– Je me demande si on ne devrait pas composer un poème célébrant ce haut fait, murmura malicieusement Gontrand à Romaric tandis qu'Ambre savourait tranquillement sa victoire.

– Merci.

Ce fut tout simplement ce que Guillemot dit à son amie.

– En tout cas, on continue à ne pas s'ennuyer, avec vous ! Ça fait du bien de vous revoir, lança Gontrand, ravi, à ses amis.

Après qu'Urien de Troïl eut remercié ses invités d'être venus, prêché la nécessité de vivre tous en paix les uns avec les autres et recueilli les félicitations d'usage pour sa bonne mine à l'aube de ses soixante ans, tout le monde fut convié à boire, manger et s'amuser. Des musiciens du village commencèrent à jouer des airs gais et les conversations reprirent avec davantage d'entrain.

Guillemot s'était approché du buffet avec la petite bande. En cherchant sa mère des yeux, il avait vu son géant d'oncle en compagnie d'un homme qu'il n'avait pas remarqué auparavant. Et cet homme l'intriguait. D'abord, il portait le long manteau sombre des Mages et Sorciers de la Guilde, cette très vieille institution qui veillait, à un niveau magique, à la sécurité du Pays d'Ys, comme la Confrérie des Chevaliers le faisait à un niveau pratique. Il était rare d'en croiser un hors des monastères dans lesquels ils vivaient retirés ! Mais il y avait autre chose : il lui semblait que cet homme l'observait…

– Hé, Guillemot, tu rêves ? lui demanda Romaric en le tirant par la manche. Il ne va plus rien rester ! Tiens, mords donc dans ce beignet ! Et goûte un peu cette bière au miel, tu m'en diras des nouvelles !

Guillemot s'arracha à sa curiosité et s'efforça de faire honneur au banquet. Comme il aurait aimé ressembler à son cousin ! Tout paraissait facile quand on était avec lui. Aucun doute que Romaric parviendrait un jour à entrer dans la Confrérie des Chevaliers, leur rêve à tous les deux depuis qu'ils étaient nés, ou presque ! Tandis que lui, Guillemot… Malgré son apparence fragile, il savait qu'il n'était pas particulièrement faible ; mais pas particulièrement fort non plus. Et c'était pareil pour tout le reste : bon à l'école mais pas brillant, bon musicien mais pas doué, bon camarade mais pas toujours très drôle. Parfois, il se demandait ce que les autres lui trouvaient, comment ils pouvaient apprécier sa compagnie ! Comment s'étonner, dans ces conditions, que l'oncle Urien lui ait toujours préféré Romaric ? Même si sa mère lui reprochait de se faire des idées à ce sujet, il savait qu'il n'avait jamais été le bienvenu chez les Troïl. Il se sentit minuscule, tout à coup. Peut-être devrait-il pour enfin trouver sa place, à sa majorité, partir sur les traces de son père et, malgré le chagrin qu'aurait sa mère, se faire Renonçant.

Un brouhaha indiqua que quelque chose allait se passer. Des hommes vinrent pousser les tables contre les murs et l'on apporta de quoi boire en quantité. Dans le fond, Valentin monta sur une chaise et, les mains en porte-voix, annonça :

– Mesdames, messieurs, le bal !

Romaric soupira. Coralie, elle, explosa de joie.

4

Une fin de soirée mouvementée

Comme Ambre l'avait prévu, une dizaine de garçons, pour la plupart des adolescents issus des meilleures familles d'Ys, firent une cour empressée à Coralie qui s'amusa à les classer en fonction de leur talent de danseur.

Elle ne tarda pas à s'en aller virevolter au bras d'un garçon vaniteux comme un paon. Sur le sol dallé de la grande salle, une dizaine de couples dansaient sur un rythme endiablé.

– Je hais la danse ! dit Romaric à ses amis qui observaient les danseurs évoluer.

– Tu dis ça parce que tu refuses d'apprendre, rétorqua Gontrand. Moi, j'aime bien. Le seul problème, c'est que j'attire les moches !

Comme pour lui donner raison, une fille correspondant exactement à cette définition vint lui demander d'être son cavalier pour une ronde. Gontrand les quitta en mettant ses mains autour du cou, imitant le geste de quelqu'un que l'on pend. La tradition exigeait des garçons sachant danser qu'ils ne se dérobent pas à l'invitation d'une fille.

– Tu ne m'invites pas à danser, Guillemot ? demanda Ambre avec un sourire narquois.

– Heu… si, si, bien sûr, répondit le garçon qui aurait préféré cent fois rester avec son cousin à parler chevalerie.

Il tendit son bras et guida Ambre vers le milieu de la salle. Quelques instants plus tard, ayant rejoint le cercle des danseurs, il bondissait aux côtés de sa partenaire.

– Bah ! fit Romaric pour lui seul en se tournant vers le buffet et en se servant une grande chope de corma, la bière traditionnelle d'Ys additionnée de miel.

Il ne savait pas danser, mais il n'était pas nécessaire de savoir danser pour être Chevalier ! Il suffisait d'être endurant, habile aux armes et courageux. Il haussa les épaules et se traita d'imbécile. D'accord, il n'avait pas de goût pour cela, ses parents ne dansaient pas devant lui tous les soirs, comme ceux de Gontrand ; et sa mère ne l'avait jamais obligé à prendre des leçons, comme celle de Guillemot ! Pourtant… Est-ce qu'il ne s'ennuierait pas moins dans les soirées s'il faisait l'effort de s'y mettre ? S'il osait ? Surtout que les danses d'Ys n'avaient rien à voir avec celles du Monde Certain que leur montrait la télévision : ici, on dansait à plusieurs, il y avait toujours quelqu'un pour vous apprendre les pas et personne ne se moquait de vous si vous étiez maladroit ! On riait, on s'amusait, c'était toujours de bons moments.

Le garçon finit son verre et prit une décision : il était temps de réagir !

Valentin monta de nouveau sur sa chaise et réclama l'attention des invités.

– Mesdames, messieurs, un intermède musical !

Les danseurs, tout en s'éventant, vinrent se désaltérer, tandis que les parents de Gontrand installaient leurs instruments de musique – un petit orgue et une grande harpe – sur l'estrade de l'orchestre. Puis ils commencèrent à jouer. Leur musique était un délice, et tout le monde resta sous le charme, longtemps après que la dernière note eut retenti. Un tonnerre d'applaudissements salua la performance des époux de Grum et des voix s'élevèrent pour en réclamer encore. Souriante, madame de Grum se leva et salua l'assistance.

– Je vous remercie mille fois pour la chaleur de votre accueil ! Malheureusement, vous connaissez tous la tradition qui veut que nous ne puissions jouer plus d'un morceau au cours de la soirée…

Des protestations s'élevèrent. Madame de Grum leva les mains en signe d'apaisement.

– Cependant, un autre membre de la famille n'a pas encore joué ce soir : c'est donc lui qui répondra à votre aimable attente. Je vous demande d'accueillir avec indulgence notre fils Gontrand !

Guillemot donna un coup de coude à Gontrand, abasourdi par l'annonce de sa mère. Jamais encore il n'avait été invité à jouer officiellement en public !

– Allez, Gontrand, lui souffla son ami, c'est le moment de leur montrer ce que tu vaux !

– Mais si je me plante, gémit Gontrand sans se décider à rejoindre ses parents qui l'encourageaient à venir sur l'estrade.

– Courage ! bougonna Romaric. Il y a des minutes de

vérité à ne pas louper… et je crois bien que c'en est une !

– Merci pour la pression ! dit encore le garçon qui, sous les applaudissements, avança d'une démarche hésitante en direction des musiciens.

Sa mère lui sourit lorsqu'il grimpa sur l'estrade et son père lui tendit une cithare, sorte de guitare renflée avec laquelle il aimait jouer.

– Merci du cadeau ! grimaça Gontrand.

– Nous pensons que tu en es capable, chéri, lui répondit sa mère.

– Et surtout, ajouta son père d'un air sévère, qu'il est enfin temps pour toi de faire tes preuves.

Gontrand prit une profonde inspiration. Il aperçut au fond de la salle Guillemot, Ambre, Coralie et Romaric qui lui adressaient de grands gestes d'encouragement…

« Faire mes preuves ? D'accord ! Ils vont voir ce qu'ils vont voir – enfin, entendre ! » se dit-il.

– Mesdames, messieurs, annonça-t-il à haute voix, après s'être éclairci la gorge, je ne vais pas jouer pour vous ce soir un air du répertoire classique, mais une chanson de ma composition !

Des murmures d'étonnement parcoururent l'assemblée. Cela faisait des années qu'aucun musicien n'avait eu l'audace de proposer une création, tant les gens du Pays d'Ys étaient renommés pour leur dureté à l'égard des nouveautés !

Le silence, de circonstance jusqu'alors, se transforma en attente curieuse. Gontrand commença à jouer. L'air, plaisant, avait des audaces. La fougue impatiente remplaçait fort bien le manque d'expérience. Puis le garçon se mit à chanter. La douceur de sa voix, alliée aux plaintes naïves des couplets évoquant les beautés de sa ville de Bounic, conquit l'assistance.

Jusqu'au Sorcier de la Guilde, qui souriait et hochait la tête en l'observant. Des applaudissements nourris saluèrent sa performance, et son père, ému et ravi, le serra contre lui.

– Bravo, Gontrand ! lui lança Romaric lorsque leur ami put s'arracher à sa mère rougissante de fierté et à Urien de Troïl venu le féliciter.

– Bof, je n'ai pas pu donner ma pleine mesure, répondit Gontrand d'un air faussement modeste en lissant ses cheveux.

– Et qu'est-ce qui t'en a empêché ? lui demanda Coralie, curieuse.

– Une bande d'idiots qui gesticulait dans le fond pour me déconcentrer ! ironisa le garçon.

La bande le bombarda avec des boulettes de mie de pain.

– Vous avez observé le Sorcier pendant que Gontrand jouait ? demanda Guillemot aux autres.

– Non, répondirent-ils, étonnés. Qu'est-ce qu'il a fait ?

– Heu… rien, trouva seulement à dire Guillemot. Il avait l'air d'apprécier, c'est tout.

– Et depuis quand tu t'intéresses aux Sorciers ? le taquina Ambre qui voyait là un terrain favorable pour l'embêter.

– Depuis… Jamais, je ne m'intéresse pas particulièrement aux Sorciers ! Enfin…

– Laisse tomber les porteurs de manteaux, vint à son secours Romaric, et... dansons, plutôt ! ajouta-t-il devant les autres qui n'en crurent pas leurs oreilles. C'est vrai, quoi, la musique a repris !

– Alors là, pour le coup, lâcha Coralie, interloquée, je veux bien être la fille de l'événement !

Ils partirent tous les deux sur la piste où elle essaya de lui apprendre les pas d'une bourrée. Un peu plus tard, Romaric revint seul.

– Il paraît que je ne me débrouille pas trop mal, souffla-t-il. Mais je n'ai pas eu de chance : la bourrée est une danse difficile !

– Et, poursuivit Ambre, ma sœur t'a abandonné pour un bellâtre plus doué !

– Chut, taisez-vous ! les interrompit Guillemot. Regardez, ça barde près de la cheminée !

En effet, deux hommes s'étaient pris à partie, se lançaient des insultes et en vinrent bientôt aux mains.

– C'est papa ! s'exclama Ambre, stupéfaite.

– Avec le père d'Agathe ! ajouta Gontrand, consterné.

La querelle s'envenimait. Urien de Troïl, aidé par Valentin et quelques autres, tentait vainement de les séparer. On entendait au-dessus du brouhaha causé par l'affrontement la voix forte de monsieur de Troïl lancer des : « Messieurs ! Messieurs ! » qui restaient sans effet. Tout à coup, les deux hommes dégainèrent leur épée et se firent face. Ambre devint toute pâle et se mordit la lèvre. C'est alors que l'homme au manteau sombre, le Sorcier de la Guilde, s'interposa, leva les bras et prononça quelques mots d'une voix sifflante. Aussitôt, les deux épées tombèrent en poussière. Le Sorcier se tourna ensuite vers les invités stupéfaits et s'adressa à la salle :

– Gens d'Ys ! Vous n'avez donc tiré aucune leçon des méfaits de l'Ombre ? Le Pays d'Ys est un pays fragile, qui ne manque pas d'ennemis ! Plus que jamais, il est nécessaire de vivre unis plutôt que divisés, et d'oublier nos petites querelles !

L'ardeur belliqueuse des combattants s'évanouit en même temps que les épées, laissant messieurs de Krakal et de Balangru embarrassés au milieu du cercle qui s'était formé autour d'eux.

– L'incident est clos ! tonitrua Urien de Troïl. Que les danses reprennent !

Il fallut un moment pour que l'ambiance revienne à la fête, chacun commentant avec animation l'intervention du Sorcier qui avait osé, sans paraître gêné le moins du monde, évoquer l'Ombre, cette créature mystérieuse et terrifiante surgie à plusieurs reprises du Monde Incertain pour apporter le malheur au Pays d'Ys… Le clan Balangru avait quitté précipitamment la pièce, et bientôt le château. Ambre et Coralie s'étaient jetées dans les bras de leur père qui tentait de rassurer tout le monde en minimisant l'objet de la querelle et en prétextant les effets de la boisson. L'oncle Urien s'entretenait avec l'homme de la Guilde et le remerciait pour son aide.

C'est alors que Romaric hurla :

– Guillemot ! Regardez Guillemot !

Au-dessus du buffet, les yeux révulsés, Guillemot flottait dans les airs, sans connaissance.

5
Une étrange visite

– Bonjour, mon chéri, comment te sens-tu aujourd'hui ? demanda Alicia à son fils en posant sur sa table de nuit le plateau d'un copieux petit déjeuner.

– Pas trop mal, répondit Guillemot en se redressant sur son oreiller.

– Je t'ai fait des tartines comme tu les aimes, ajouta-t-elle en tirant les rideaux : avec du beurre et beaucoup de nutella !

– Mhmm ! Génial !

– Je ne sais pas comment tu fais pour manger ça… avoua Alicia après s'être assise sur le lit à côté de son fils.

– C'est facile, expliqua-t-il en mordant dans la tranche de pain, regarde, m'man : j'ouvre la bouche, je mets ma tartine dedans et je mâche.

– Idiot, va ! répondit sa mère, en lui ébouriffant tendrement les cheveux.

Puis elle se leva et s'employa à mettre de l'ordre dans la pièce. Guillemot avala son petit déjeuner gloutonnement, tandis que sa mère rangeait les livres et les jeux éparpillés autour du lit.

Cela faisait trois jours que le garçon n'avait pas

quitté sa chambre. Quand on l'avait ramené de chez l'oncle Urien, plongé dans un état comateux, Alicia de Troïl s'était montrée folle d'inquiétude. Heureusement, Guillemot avait rapidement retrouvé ses esprits, et s'était vite senti en pleine forme. Sa mère avait cependant insisté pour qu'il garde le lit quelque temps, et le médecin avait même signé un certificat pour le collège. Guillemot n'avait opposé aucune résistance : trois jours sans école, c'était toujours bon à prendre !

Sa mère revint près de lui et posa la main sur son front, pour vérifier sa température.

– Le docteur a dit que tu pourrais retourner au collège demain, lui annonça-t-elle, satisfaite.

– Génial, s'écria Guillemot avec une grimace.

À ce moment-là, quelqu'un frappa à la porte en bas.

– Bon, je te laisse, dit Alicia. Ne joue pas trop longtemps sur ton ordinateur. Essaye plutôt de te reposer, mon chéri…

Elle descendit l'escalier d'un pas rapide. Guillemot soupira. Il aurait dû mettre son front contre le radiateur pendant que sa mère avait le dos tourné. Ainsi, il aurait peut-être échappé aux cours (et à Agathe !) tout le reste de la semaine… Mais ce n'était pas une solution et il le savait. Il récapitula : aujourd'hui il avait raté les maths et l'escrime ; il rattraperait ça ce week-end. Hier et avant-hier, en revanche, c'était plus grave : natation (il tâcherait de nager demain soir pour ne pas prendre de retard sur le programme), korrigani (la langue des Korrigans : il détestait), français (il ne se rappelait plus si c'était grammaire ou explication de texte), physique-chimie (en ce moment ils apprenaient la carte compliquée des vents du Pays d'Ys) et ska (le langage en usage dans le Monde Incertain, qu'on leur enseignait pour leur culture générale, comme le latin dans le Monde Certain : plutôt facile). Il soupira encore, mais plus profondément. Ce n'était pas cette semaine qu'il pourrait flâner à la sortie des cours !

Un grincement dans l'escalier le tira de ses pensées.

– M'man ! C'était qui, en bas ?

Personne ne répondit. À l'extérieur, les pas s'arrêtèrent.

– M'man ? C'est toi ?

Le cœur de Guillemot se mit à battre plus rapidement. Il se passait un truc bizarre. Il tendit l'oreille : aucun bruit ne montait du rez-de-chaussée. L'escalier recommença à grincer.

– Maman ?

Aucune réponse. Cela devenait inquiétant. Guillemot bondit hors de son lit. Sans prendre le temps de se changer, il courut en direction du placard, dans son pyjama bleu ciel. Il en tira l'épée d'exercice qui lui servait à répéter chez lui les passes d'escrime apprises à l'école, et revint se placer derrière la porte donnant sur le couloir. La poignée tourna lentement : quelqu'un allait entrer ! Quelqu'un qui pensait sans doute le surprendre, et qui avait peut-être fait du mal à sa mère, en bas ! À cette pensée, Guillemot serra encore plus fort son arme.

Une silhouette se glissa sans bruit dans la chambre. Le garçon eut juste le temps de voir qu'il s'agissait d'un homme vêtu d'un grand manteau sombre : en brandissant son épée et en hurlant, il se jeta sur l'intrus. Celui-ci fit volte-face, bloqua le bras de Guillemot et le désarma. L'action n'avait duré que le temps d'un éclair.

– Holà, mon garçon ! Drôle de façon d'accueillir un visiteur !

Encore abasourdi d'avoir été si rapidement maîtrisé, Guillemot mit un moment avant de reconnaître son adversaire.

– Le Sorcier ! Le Sorcier de l'autre soir ! murmura-t-il.

Il avait de la peine à en croire ses yeux.

– Exact, mon garçon, confirma son visiteur en le fixant d'un regard bienveillant.

L'homme était plutôt grand, bien bâti ; ses cheveux coupés très court, son visage carré et ses yeux d'un bleu acier lui donnaient un air dur avec lequel contrastaient sa voix et un sourire remplis de douceur. Il était difficile de lui donner un âge, mais il était sans doute moins vieux qu'il n'en avait l'air. Sous le manteau sombre qui annonçait son appartenance à la Guilde, il portait les vêtements solides et confortables qu'ont tous les voyageurs. Enfin, une sacoche de toile usée pendait à son épaule.

Il força Guillemot à s'asseoir sur le bord du lit et prit place à côté de lui.

– Tu ne manques pas de courage, petit. Mais ton attaque était beaucoup trop lente !

– Qu'est-ce que vous avez fait de ma mère ? le coupa agressivement le garçon qui n'aimait pas la façon dont cet homme se moquait de lui.

– Ta mère ? Je crois qu'elle me prépare un thé, dans la cuisine…

– Vous mentez ! aboya Guillemot qui sentait les larmes lui monter aux yeux.

– Allons, mon garçon, du calme ! C'est vrai que j'aurais dû frapper avant d'entrer ; je suis désolé de t'avoir effrayé. Mais je t'assure que ta mère va bien !

Au même moment, ils entendirent un bruit de pas dans l'escalier et, quelques instants plus tard, Alicia de Troïl pénétra dans la pièce en portant, sur un plateau, une tasse et une théière fumante. Guillemot lui jeta un regard interrogateur :

– Ça va, m'man ?

– Mais oui, mon chéri ! Pourquoi ?

Guillemot se sentit brusquement très bête.

– Non, pour rien…

– Bon, je vous laisse, annonça joyeusement Alicia après avoir posé son plateau sur le lit. Maître Qadehar, si vous avez besoin de moi, je suis dans la cuisine.

La jeune femme quitta la chambre et referma la porte derrière elle.

Guillemot comprit qu'il s'était trompé : le Sorcier était un simple visiteur, que sa mère semblait connaître, et qui n'avait eu d'autre tort que d'apparaître trop silencieusement ! Il reporta son intérêt sur la raison de cette visite. Que lui voulait cet homme étrange, et pourquoi sa mère tenait-elle tant à les laisser seuls tous les deux ? Il contint sa curiosité et attendit que le Sorcier, qui finissait de boire son thé, le lui explique.

Après avoir fait claquer sa langue de satisfaction, l'homme reposa la tasse sur le plateau et se tourna vers le garçon.

– Alors, petit, cet évanouissement ?

Il y avait quelque chose, dans la voix du Sorcier, qui mit Guillemot en confiance.

– Oh, c'est oublié, monsieur. Le docteur a dit que je n'étais plus malade et que je pourrais retourner à l'école demain.

L'homme rit. Son rire, chaleureux, acheva de mettre le garçon à l'aise.

– Je m'appelle Qadehar. Maître Qadehar. Quant à ton docteur, c'est un imbécile !

Guillemot ne sut pas quoi dire. Le Sorcier continua :

– C'est un imbécile, car tu n'as jamais été malade. Connais-tu ce que l'on appelle l'effet Tarquin ?

Guillemot secoua la tête.

– Tu es en quelle classe, mon garçon ?

– En cinquième, mons... heu, Maître Qadehar.

– Bien sûr... C'est normal, reprit le Sorcier. Les cours d'histoire de la Guilde et de la Confrérie ne commencent qu'en quatrième... Eh bien, Tarquin était un jeune garçon qui vivait à Ys il y a trois cents ans. Un garçon tout ce qu'il y avait de normal. Un jour qu'il assistait à un duel de Sorciers, duels fréquents à l'époque, il s'évanouit et s'éleva dans les airs. Tout comme toi !

– Et alors ? le pressa Guillemot avec impatience.

– Tarquin se remit au bout de deux jours et l'incident fut oublié. Plus tard, il entra comme Apprenti à la Guilde et manifesta des aptitudes peu communes dans l'exercice de la magie. Si bien qu'il devint le Grand Maître de la Guilde, avant l'âge requis habituellement, et qu'il ouvrit des voies nouvelles à notre sorcellerie.

Des membres avisés de la Guilde firent le rapprochement entre son évanouissement de jeunesse et ses qualités de Sorcier. Depuis, nous appelons « effet Tarquin » la réaction que certains enfants manifestent aux pratiques magiques.

Il y eut un silence. Les pensées se bousculaient dans la tête de Guillemot. Qadehar se contentait de l'observer en souriant.

– Et… heu, moi, moi j'ai fait comme Tarquin ? Je veux dire, bafouilla le garçon, j'ai fait une réaction à de la magie ?

– Oui, petit, confirma le Sorcier. C'est lorsque j'ai invoqué les forces magiques pour changer les épées en poussière que tu as quitté le sol et que tu t'es évanoui.

– Et… maintenant ? demanda Guillemot, inquiet, qu'est-ce qui va se passer ?

L'homme le rassura.

– Mais rien, mon garçon ! Tu n'es pas malade. Et tu peux reprendre ta vie comme avant ! Cependant…

Le Sorcier le regardait avec insistance.

– Cependant, Maître Qadehar ? demanda Guillemot d'une voix mal assurée.

– Calme-toi, mon garçon, reprit Qadehar. Je te le répète, tout va très bien ! Je me disais simplement que, comme Tarquin et d'autres avant toi, tu possèdes sans doute quelque aptitude pour la magie. Et, comme je compte rester quelque temps dans la région, je pensais que tu accepterais peut-être de devenir mon Apprenti.

Guillemot était interloqué. Son évanouissement, cet homme qui lui proposait ni plus ni moins que de devenir Sorcier, n'était-ce pas trop, en si peu de temps ? Pourquoi ne le laissait-on jamais tranquille ? Est-ce qu'il n'avait déjà pas assez de problèmes ? Quand ce n'était pas la bande d'Agathe, c'était un prétendu effet Tarquin ! Demain, quoi d'autre ? Et puis surtout, surtout...

Il sentit le désespoir le gagner. Il savait que certains enfants, autour de leurs treize ans, devenaient des Apprentis Sorciers. Mais il ne s'était jamais demandé comment cela se passait, pour la bonne raison qu'il aspirait, lui, à être Chevalier ! Donc, un jour ou l'autre, Écuyer. Le problème, c'était qu'un Écuyer ne pouvait pas devenir Sorcier, de la même façon qu'un Apprenti ne pouvait pas devenir Chevalier.

Intrigué par son silence, Qadehar lui demanda :

– Il y a quelque chose qui te dérange ? Si tu penses à ta mère ou à ton oncle, je me fais fort d'obtenir leur accord ! Si c'est à tes études, ne t'inquiète pas : nous travaillerons seulement certains soirs, le mercredi et le samedi après-midi, ainsi que le dimanche...

– Non, tenta d'expliquer Guillemot qui sentait sa gorge se serrer, c'est... c'est la Confrérie. C'est mon rêve de devenir Chevalier du Vent !

Qadehar devint grave.

– Je comprends. Réfléchis bien, mon garçon. Et pèse ta décision : car, comme tu dois le savoir, si tu acceptes de suivre mon enseignement, tu ne pourras jamais entrer dans la Confrérie. Telle est la loi : Sorciers et Chevaliers œuvrent ensemble, mais ne se mélangent jamais...

Guillemot était désemparé. Que devait-il faire ? S'il acceptait, il perdait toute chance de porter un jour l'armure turquoise des Chevaliers dont les exploits l'enthousiasmaient depuis qu'il était en âge d'écouter des histoires ! À l'inverse, l'univers de la Guilde et des Sorciers lui avait toujours paru étrange, effrayant même. Qu'allait-il y trouver ? Que dissimulaient ces hommes dans l'ombre de leurs manteaux ? Il l'ignorerait s'il disait non à l'offre. Une phrase de Romaric lui revint avec netteté en mémoire. Son cousin avait dit à Gontrand, juste avant son triomphe : « Il y a des minutes de vérité à ne pas louper… et je crois que c'en est une ! »

C'était peut-être la sienne, maintenant. Il décida de se fier à son instinct, et, plantant son regard dans les yeux froids du Sorcier, il lui demanda :

– Est-ce que vous pensez vraiment que je doive accepter ?

– Oui, Guillemot, je le pense, répondit Qadehar sans hésiter.

Le garçon eut l'air de réfléchir puis hocha la tête d'un air convaincu.

– D'accord. Je veux bien, lâcha Guillemot, en se jetant à l'eau. Mais à vous de convaincre ma mère et mon oncle !

Qadehar eut un sourire satisfait et se leva du lit où il était resté assis.

– Je m'en occuperai. Mais, avant toute chose, il faut formaliser notre accord.

Il fouilla dans son sac et en sortit un morceau de charbon.

– C'est du charbon d'if, l'arbre magique par excellence.

Il s'approcha de Guillemot, lui prit la main droite et fit un dessin à l'intérieur avec le charbon.

– C'est le signe de l'obéissance, indispensable à celui qui apprend.

Il dessina également quelque chose dans la paume de sa propre main.

– Le signe de la patience, indispensable à celui qui enseigne. Maintenant, répète après moi : « Moi, Guillemot, accepte d'apprendre la magie et prends Qadehar comme Maître. »

Guillemot répéta, avec un inexprimable sentiment de soulagement. À son tour Qadehar déclara :

– Moi, Qadehar, Sorcier de la Guilde, accepte d'enseigner la magie et prends Guillemot comme Apprenti.

Puis ils se serrèrent vigoureusement la main, mélangeant ainsi les traces de charbon.

– Tu ne le regretteras pas, Guillemot. Fais-moi confiance…

Guillemot l'espérait de toutes ses forces, car il était trop tard pour faire marche arrière.

6
Alicia de Troïl

Assis dans son fauteuil en chêne massif de Tantreval, dans lequel il aimait méditer à l'approche du soir, Urien de Troïl contemplait les flammes qui dansaient dans la cheminée. Le crépitement des bûches de châtaignier résonnait dans la grande salle silencieuse.

À côté de lui, sur un tabouret, Valentin étirait ses longues jambes et présentait la paume de ses mains à la chaleur du feu. Une bûche roula dans l'âtre et le majordome la remit en place avec de lourdes pinces.

– Sacré nom, gémit Urien. Me faire ça, à moi ! Utigern et cet imbécile de Balangru peuvent se vanter d'avoir gâché ma soirée d'anniversaire !

– Allons, Urien, tenta de l'apaiser Valentin, ce qui est fait est fait. Et ce n'est pas si grave, après tout.

– Pas grave ? rugit le colosse en empoignant les accoudoirs de son large siège. Si Qadehar n'avait pas été là, ces deux minables auraient bien été capables de s'embrocher !

– Justement, Qadehar, se hâta d'enchaîner le majordome pour changer de conversation ; est-ce que ce n'est pas à son sujet qu'Alicia vient ce soir ?

Urien prit un air contrarié et s'enfonça dans le fauteuil. Étonné par le silence qui suivait sa question, Valentin reprit :

– Qu'est-ce qui se passe ? Ça n'a pas l'air d'aller…

Tout à coup, il comprit que la mauvaise humeur d'Urien n'avait aucun rapport avec l'épisode malheureux de l'autre soir, mais qu'un événement plus grave le tracassait. Il attendit patiemment les confidences du seigneur de Troïl.

– Figure-toi, annonça le colosse d'une voix sombre, que Qadehar a demandé Guillemot en apprentissage.

Valentin resta interdit. La surprise s'inscrivit sur son visage.

– Mais, mais… ce n'est pas possible !

Urien se leva brusquement et se mit à marcher de long en large devant la cheminée, en proie à des pensées agitées.

– Non, bien sûr, ce n'est pas possible, finit-il par dire. C'est d'ailleurs ce que je vais annoncer à ma sœur. Il faudra qu'elle m'écoute. C'est moi le chef de famille…

Quelque part dans la grande bâtisse une porte claqua et des bruits de pas résonnèrent dans les couloirs.

– C'est elle, prévint Valentin. Tu veux que je m'en aille ?

– Tu fais comme tu en as envie, bougonna Urien. Qu'avons-nous à nous cacher, mon vieux compagnon ?

Les deux hommes échangèrent un regard de profonde complicité.

Puis ils se retournèrent à l'entrée d'Alicia.

Comme d'habitude, Alicia de Troïl était vêtue de noir ; ce noir qui faisait ressortir la blancheur de ses avant-bras qu'elle aimait laisser nus et le bleu limpide de ses grands yeux.

Elle venait d'avoir trente et un ans et c'était une femme d'une grande beauté, qui aurait suscité bien plus d'attention de la part des hommes sans cet air de dureté, cette impression de tristesse immense qu'elle portait sur son visage.

Elle s'approcha du feu.

– Brrr ! Il fait meilleur ici. Il y a un horrible courant d'air glacé qui vous accompagne durant toute la montée au château. Comment ça va, Urien ? Valentin ?

– Très bien, madame, merci, répondit le majordome. Je peux vous proposer du thé pour vous réchauffer ? Du chocolat ?

– Va pour le thé, Valentin, merci ! dit la jeune femme avec un sourire. Et toi, mon frère, tu ne m'as pas répondu, continua-t-elle tandis que le majordome s'éloignait en direction des cuisines.

– Ça va, ça va, grommela le géant en se grattant la barbe.

– On ne le dirait pas, répondit Alicia en le fixant de ses grands yeux.

– Non, en fait non, ça ne va pas ! explosa Urien de Troïl. Qu'est-ce que c'est que cette histoire de Guillemot et de sorcellerie ?

Alicia accusa un moment de stupeur. Puis elle reprit, en s'efforçant de conserver son calme :

– Cette histoire, comme tu dis, est peut-être une belle histoire. Maître Qadehar, Sorcier de la Guilde…

– Je connais Qadehar ! l'interrompit Urien. C'est un homme droit, à qui je n'ai rien à reprocher.

– Mais alors, s'emporta à son tour Alicia, quel est le problème ? Hein ? Toi qui n'arrêtes pas de dire à qui veut l'entendre que mon fils est un bon à rien ! Qu'il n'a pas sa place à Ys ! Voilà qu'un Sorcier se présente, annonce que Guillemot a tout pour faire un bon Apprenti, et toi, toi tu hausses le sourcil et tu dis…

– Je dis non ! hurla-t-il. Non, non et non ! Ce gosse ne s'approchera pas de la Guilde ! Tu entends ? Je l'interdis !

Alicia toisa son frère avec une moue méprisante.

– Quand je pense que j'ai toujours pris ta défense auprès de mon fils, alors que tu l'as toujours détesté et qu'il l'a toujours senti…

Elle s'approcha d'Urien de Troïl dont la colère avait été refroidie par le ton inhabituellement glacial de sa sœur.

– Écoute-moi bien, Urien…

Son regard était dur comme le métal d'une épée.

– C'est la deuxième fois de ma vie que tu m'interdis quelque chose. La première fois, j'ai cédé, pour mon malheur. Aujourd'hui, je te tiendrai tête ; pour le bonheur de mon fils !

– Ce n'est pas le moment de parler du passé, mais… tenta d'intervenir Urien.

– Tais-toi, je n'ai pas fini ! Voilà ce qui va se passer : je vais confier Guillemot en apprentissage à ce Sorcier, et en échange de ton accord, j'oublierai la conversation que nous avons eue ce soir. Afin que, dans mon cœur, tu puisses rester mon cher frère.

Alicia jeta à Urien un dernier regard qui le fit frissonner des pieds à la tête, puis elle lui tourna le dos et s'éloigna d'un pas rapide.

– Elle est partie ? demanda Valentin en posant un plateau sur la table basse proche du fauteuil dans lequel Urien de Troïl s'était rassis.

– Oui.

– Et alors ?

– Alors rien. Je me fais vieux, Valentin. Je me sens fatigué.

Le majordome sourit et posa une main sur l'épaule de son ami.

– C'est vrai que nous ne sommes plus de la première jeunesse ! Il est loin, le temps où nous étions d'intrépides Chevaliers luttant pour l'honneur et la paix à Ys !

– Tu as raison, il est loin ce temps, soupira le colosse. J'ai toujours refusé d'y penser parce que, pour moi, se réfugier dans le passé est une façon de fuir le futur. Mais quel futur pour nous, mon ami ? Notre vie n'est-elle pas déjà derrière nous ?

– Allons, tu dramatises, tenta de le rasséréner Valentin qui commençait à être ému.

Ils se turent, se plongeant dans la contemplation des flammes.

– Sacrée bonne femme, ta sœur, quand même, lâcha Valentin au bout d'un moment.

– Oui, c'est bien une Troïl.

– Guillemot aussi, Urien, Guillemot aussi. Ne serait-il pas temps de… ?

Le regard acéré du seigneur de Troïl l'empêcha de continuer et il soupira. Valentin se leva, remit une bûche dans le feu et remporta le thé tiède à la cuisine, abandonnant Urien à ses sombres pensées.

7
Un grand jour

– J'ai senti, oui… j'ai senti quelque chose… quelque chose de puissant… quelque chose que j'attendais depuis longtemps, depuis très longtemps… Quand je pense que j'ai fait chercher l'enfant dans ce Monde… tout ce temps… alors qu'il n'y était pas…

– Maître ? Maître, tout va bien ?

Le jeune homme au crâne rasé et vêtu d'une tunique blanche s'approcha en hésitant de la silhouette qui se tenait dans la pénombre, au fond de la pièce aux murs de pierres grises.

L'endroit était plein de meubles recouverts d'un invraisemblable fouillis d'instruments et de papiers.

– Oui, oui… Tout va bien… Tout va très bien, même…

Le jeune homme s'immobilisa. Les chuchotements puissants et caverneux de celui qu'il avait appelé Maître commençaient à lui glacer le sang.

– Apporte-moi à boire. Il faut fêter cela. C'est un grand jour, aujourd'hui.

Le jeune homme se précipita dans l'escalier en colimaçon sans même chercher à fermer la porte derrière lui.

Dans l'obscurité, la silhouette bougea et se mit à arpenter le fond de la pièce qu'éclairait à grand-peine une lucarne. On aurait dit qu'elle entraînait l'ombre dans son sillage.

– Bientôt… Bientôt l'heure du triomphe…

Le serviteur revint en haletant, tenant un grand gobelet de métal. Il prit le temps d'essuyer avec un bout de sa tunique la sueur qui perlait sur son front et s'avança avec précaution.

– Votre corma, Maître.

– Pose-le là…

Il s'exécuta puis fit un pas en arrière.

La mystérieuse silhouette s'approcha de la table. Ce qui pouvait sembler une illusion, de loin, n'en était plus une : l'obscurité se déplaçait bien avec elle ! Et la forme que l'obscurité dissimulait, bien qu'indiscutablement humaine, était à peine visible. Un voile sombre se posa sur le gobelet de corma.

– Je lève mon verre à Tarquin… Et à tous ceux que son effet a élevés dans la lumière…

Le Maître émit un ricanement. Le jeune homme à la tunique adressa une prière à Bohor Tout-Puissant pour que son supplice prenne bientôt fin. Il détestait cette tour, il détestait cette chambre, encombrée d'objets étranges et de livres indéchiffrables ! Personne d'ailleurs n'aimait répondre aux appels du Maître, et les serviteurs jouaient leur tour aux dés. Lui, il n'avait jamais eu de chance.

– Va me chercher Lomgo… Et dis-lui d'apporter de quoi écrire…

Le serviteur ne se le fit pas répéter et, remerciant

mentalement Bohor qui avait daigné exaucer sa prière, disparut à nouveau promptement dans l'escalier.

Peu de temps après, un autre personnage fit son apparition dans la pièce obscure. Grand et maigre, le crâne rasé comme celui du serviteur, les yeux perçants comme ceux d'un oiseau de proie dont il avait d'ailleurs l'aspect, le scribe ne semblait pas le moins du monde effrayé par la mystérieuse silhouette.

– Vous m'avez fait appeler, Maître ?

– Oui… Assieds-toi, Lomgo, et prends note… Ensuite, tu iras toi-même porter la missive à notre ami… Sans oublier l'or qui va toujours avec…

Un nouveau ricanement résonna dans la pièce. Lomgo esquissa un petit sourire.

– Vous semblez de bonne humeur, Maître.

– Oui… de très bonne humeur… Cela fait une éternité que je n'ai pas été de si bonne humeur.

– Serait-ce un heureux présage que vous auriez découvert dans les entrailles d'un rat ?

– Plus qu'un présage, Lomgo, plus qu'un présage… Une promesse… La promesse d'un accomplissement…

Le scribe fronça les sourcils.

– Je ne comprends pas, Maître.

– Peu importe, peu importe… J'ai l'habitude… Je comprends pour ceux qui ne comprennent pas… Contente-toi d'écrire, et de faire ce que je te dis.

Lomgo pinça les lèvres. Il avait une assez haute idée de lui-même, et détestait se voir rabaisser de la sorte. Cependant, il se força à sourire et à baisser la tête. Le Maître était puissant. Très puissant. Trop, peut-être. D'une main, il plaça une grande feuille blanche sur son pupitre. De l'autre, à laquelle manquait un doigt, il saisit une plume, la trempa dans l'encre et attendit la dictée.

La lettre rédigée, Lomgo avait salué et s'était éclipsé. La silhouette enveloppée de ténèbres s'avança jusqu'à la porte, qu'elle ferma et verrouilla, puis elle vint se placer au centre de la pièce. Là, elle sembla brusquement prise de folie : elle se mit à danser, avec des gestes amples, en même temps qu'elle fredonnait un chant étrange. Tout à coup, le temps d'un éclair, la pièce s'illumina et tout disparut, silhouette et pénombre, comme aspiré par le néant.

8
Des confidences sous les étoiles

– Maître Qadehar, demanda Guillemot alors qu'ils marchaient le long de la mer sur une plage de sable gris, si vous êtes un Sorcier de la Guilde, Maître, pourquoi ne restez-vous pas comme les autres dans un monastère perdu sur la lande ou dans les montagnes ?

L'initiation avait commencé. Cela faisait un mois maintenant que le garçon passait tous ses moments libres avec le Sorcier, notant et essayant de retenir un nombre incalculable de choses, depuis le nom des plantes et des algues jusqu'à l'emplacement des grandes ondes telluriques – ces flux d'énergie invisibles qui parcourent le sol à la façon dont les courants brassent la mer – et les épisodes principaux de l'histoire de la Guilde. La tâche semblait démesurée, et Guillemot s'endormait tous les soirs exténué. De temps en temps, ils s'accordaient une pause dans leur travail et partaient sans but, pour le seul plaisir de marcher. Pendant ces moments-là, l'atmosphère se détendait et Guillemot en profitait pour essayer d'assouvir sa curiosité.

– Pourquoi, mon garçon ? lui répondit Qadehar en observant le vol d'un goéland. Mais parce que je suis un Poursuivant, tout simplement !

Guillemot en resta bouche bée.

– Un Poursuivant ? Mais pourquoi vous ne me l'avez jamais dit ?

– Sans doute parce que tu ne me l'as jamais demandé, Guillemot.

Les Poursuivants étaient des Sorciers et des Chevaliers qui passaient le plus clair de leur temps dans le Monde Incertain, à poursuivre et à essayer de mettre hors d'état de nuire des individus ou d'autres créatures qui, d'une façon ou d'une autre, menaçaient le Pays d'Ys. Les Poursuivants n'étaient pas nombreux, et il courait sur leur compte des histoires plus extraordinaires les unes que les autres. Guillemot n'en revenait pas que Maître Qadehar soit l'un d'eux !

– Vous avez dû voir des choses incroyables, Maître Qadehar !

Le Sorcier s'amusa de l'excitation de Guillemot qui le regardait avec des yeux ronds.

– Oh oui, j'en ai vu ! Beaucoup trop d'ailleurs pour pouvoir te les raconter ici et maintenant. Plus tard, si tu travailles bien…

– Maître, supplia Guillemot, racontez-moi !

Qadehar eut l'air d'hésiter, puis se laissa fléchir.

– Soit, Guillemot. Mais seulement le commencement, pas plus !

Ils s'assirent sur le sable, face à l'océan qui scintillait sous les rayons du soleil couchant. Guillemot jubilait. Le Sorcier commença :

– J'étais jeune, en ce temps-là, et orgueilleux. J'avais décidé d'entrer dans la Guilde pour en devenir le nouveau Tarquin, celui qui dépoussiérerait le vieil ordre et l'orienterait vers un nouveau destin ! Je me mis à l'étude avec assiduité et en quelques années atteignis un niveau de sorcellerie fort convenable ; je me sentais prêt à porter le manteau sombre et à accomplir mille exploits ! Mais mon Maître pensait que si j'étais doué pour les choses de la magie, j'étais également trop bagarreur et indiscipliné pour faire un bon Sorcier… Vois-tu, Guillemot, le calme et la maîtrise de soi sont deux préalables indispensables pour pratiquer une bonne magie ! Bref, il ne savait que faire de moi, et je me voyais déjà condamné à rester Apprenti jusqu'à la fin de mes jours… C'est alors qu'un jeune et brillant Sorcier, fraîchement ordonné, disparut avec l'ouvrage le plus précieux de la Guilde : *Le Livre des Étoiles*, qui était conservé au cœur du monastère de Gifdu. Cet ancien grimoire, unique, contient des secrets que seuls les Mages, les plus sages des Sorciers, ont le droit de consulter ! On pensa que le voleur s'était réfugié dans le Monde Incertain. La Guilde à cette époque n'avait plus de Poursuivants et répugnait à demander l'aide de la Confrérie des Chevaliers qui en possédait encore. On demanda des volontaires parmi nous pour suivre le Sorcier renégat dans le Monde Incertain, le traquer et lui reprendre le fameux livre. Je me proposai immédiatement, comme tu peux l'imaginer ! On accepta ma candidature ; le voleur faisait partie de ma promotion, c'était même un compagnon d'étude : on pensait que le fait de le connaître me donnait un avantage… Voilà le commencement de l'histoire, mon garçon, voilà comment je suis devenu Poursuivant.

Qadehar acheva sa phrase en se levant, pour bien marquer qu'il avait terminé son récit.

– Et ensuite ? demanda Guillemot, impatient.

– J'avais dit le commencement, pas plus. Le reste sera pour plus tard.

– Dites-moi juste, Maître, implora le garçon, qui était ce Sorcier que vous poursuiviez et si vous l'avez attrapé.

– Il s'appelait Yorwan. Et personne ne l'a jamais retrouvé. Ne m'en demande pas plus : c'est fini sur ce sujet pour aujourd'hui.

Au ton sec de son Maître, Guillemot comprit qu'il ne servirait à rien de continuer à le questionner. Déçu, il tapa du pied dans un galet. Qadehar avait repris un air grave.

– Mon garçon, cela fait maintenant quatre semaines que tu travailles avec moi. Sois sincère : regrettes-tu ta décision ?

– Non, Maître Qadehar, répondit Guillemot en le regardant droit dans les yeux. Mais... c'est juste que...

– Allons, parle, je t'ai demandé d'être franc.

Il soupira puis prit son courage à deux mains :

– C'est juste que j'ai parfois l'impression de ne pas être fait pour la magie ! Je m'embrouille avec les noms des fleurs, je n'arrive pas à sentir les courants telluriques et les exercices de concentration m'endorment. Vous êtes sûr que j'ai vraiment eu une réaction de Tarquin ?

Qadehar rit de nouveau et prit Guillemot par les épaules :

– C'est normal, Guillemot. Tu n'es mon élève que depuis un mois ! Il faut trois ans pour terminer sa formation d'Apprenti, trois autres années pour achever celle de Sorcier et le reste de sa vie pour essayer de la mériter ! Moi, je trouve que tu t'en sors très bien.

– C'est vrai ? demanda le garçon en esquissant un sourire.

– Bien sûr que c'est vrai ! Repense à mon histoire : quelle leçon en tires-tu ?

Guillemot réfléchit un moment, puis, hésitant :

– Qu'il faut savoir attendre... que le destin vous fasse un signe ?

– Bravo, Guillemot, lui dit fièrement Qadehar. Qu'il faut attendre, apprendre et travailler, en attendant son heure !

Ils prirent le chemin du retour. La nuit commençait à tomber.

– Comment ça se passe avec ta mère et ton oncle ? lui demanda le Sorcier.

– Ça va, répondit Guillemot d'un ton évasif. Ça peut paraître bizarre, mais ma mère semble très heureuse que je sois devenu Apprenti. L'oncle Urien, en revanche, a l'air moins content ! Mais bon, j'ai l'habitude : tout ce que je peux faire n'est jamais assez bien pour lui.

– Tu sembles ne pas beaucoup aimer ton oncle, Guillemot.

– C'est lui, plutôt, qui semble ne pas beaucoup m'aimer.

Qadehar eut un sourire.

– C'est une bonne réponse ! Et à l'école, tout va bien ? continua-t-il pour changer de sujet, marchant toujours, les mains dans le dos.

– Comme ci comme ça. Entre des profs qui enchaînent interro sur interro et une fille à moitié folle qui passe son temps à me poursuivre, c'est pas la joie ! Mais je me débrouille.

Le Sorcier posa à nouveau sa main sur son épaule.

– Tu es courageux, Guillemot. Je m'en suis tout de suite rendu compte quand tu t'es précipité sur moi l'épée à la main dans ta chambre. C'est bien ! Le courage, la volonté et la droiture sont les trois portes qui conduisent au meilleur de soi-même !

Puis Qadehar leva les yeux.

– Tiens, regarde…

Le ciel d'un bleu profond se remplissait maintenant de centaines d'étoiles.

– Tu connais les étoiles, mon garçon ?

– Bien sûr ! On a appris la carte du ciel l'année dernière, répondit Guillemot en se tordant le cou pour essayer de repérer la constellation de la Grande Ourse ; c'était facile ! Cette année, on étudie celle des vents, et c'est moins évident… ça y est, j'ai la Grande Ourse. Toutes les autres se rangent autour.

– Les Pléiades… Le Dauphin…

– Et la Lyre… Là-bas, la Couronne !

– C'est bien, dit Qadehar. Puis il ajouta, comme s'il changeait de sujet : Vois-tu, Guillemot, c'est *Le Livre des Étoiles* qui est à l'origine de la Guilde. Ce livre renferme de nombreux secrets, dont la plupart restent incompréhensibles même pour les plus sages d'entre nous ! Mais surtout, il contient le fondement de notre magie. Posséder la science des plantes ou connaître les cartes des forces élémentaires est à la portée de tous ceux qui font l'effort d'apprendre. Alors que la magie, la possibilité d'agir sur les choses, par exemple renforcer l'efficacité d'une tisane, faire naître la brume ou transformer du métal en poussière, réclame un pouvoir ! C'est ce pouvoir qui nous a été donné par *Le Livre des Étoiles*... Je t'en dirai davantage très bientôt.

– Quand, Maître, quand ? s'exclama Guillemot, sentant que le Sorcier avait abordé un sujet essentiel, autrement plus passionnant que tous les noms compliqués qu'il l'obligeait à mettre sur des herbes.

– D'habitude, le Maître ouvre à son élève *le Livre des Étoiles* à la fin de sa première année d'initiation. Je crois que tu es doué, Guillemot ; nous l'ouvrirons à la fin de ton troisième mois d'apprentissage !

– Mais comment, Maître ? s'inquiéta le garçon. Vous m'avez dit que *Le Livre des Étoiles* avait été volé par ce Yorwan...

– Cela fait des siècles que la Guilde a extrait de ce livre tout ce qu'elle pouvait comprendre, le rassura Qadehar. Cet enseignement est transmis depuis des générations par les Sorciers à leurs Apprentis ! En attendant ce moment, je veux que les plantes des collines et les forces telluriques des environs de Troïl n'aient plus de secret pour toi.

Guillemot promit tout ce que le Sorcier voulait. Les choses commençaient enfin à devenir intéressantes !

9
Où il est question de noms de fleurs...

Cher Guillemot,

J'ai bien reçu ta lettre. Ce que tu me racontes est incroyable ! Te voilà Apprenti Sorcier ! Et pas de n'importe quel Sorcier : Qadehar le Poursuivant ! J'ai demandé à mon père : c'est une célébrité dans son genre. On raconte qu'il a passé sa vie à traquer des monstres de toutes sortes, et on dit que c'est le seul homme que l'Ombre craigne vraiment...

Guillemot interrompit sa lecture. Gontrand était-il sérieux ? L'Ombre, la grande menace du Monde Incertain, l'ennemi juré des gens d'Ys, insaisissable et maléfique, qui avait ravagé le pays à plusieurs reprises, craindrait donc son Maître ? Cela expliquait en tout cas le fait que, chez l'oncle Urien, le Sorcier ait pu évoquer l'Ombre publiquement, sans paraître le moins du monde effrayé. Quand même, comme l'écrivait son ami, cela paraissait à peine croyable !

Il se remit à lire.

... C'est bizarre qu'il se soit transformé en baby-sitter ! Peut-être qu'il a décidé de se ranger. En tout cas, j'attends avec impatience les grandes vacances : ça sera génial de se

retrouver tous à Troïl ! Bon, je te laisse : ton cousin trépigne à côté de moi pour ajouter quelques mots.

Guillemot abandonna de nouveau sa lecture et fut pris de doutes. Pourquoi Qadehar l'avait-il choisi lui ? Pourquoi l'avait-il poussé à renoncer à son rêve de chevalerie et à entrer au service de la Guilde ? Il se demandait souvent s'il avait fait le bon choix et éprouvait quelques inquiétudes à ce sujet.

En son for intérieur, et même s'il espérait de toutes ses forces avoir trouvé sa voie, il était persuadé que le Sorcier s'était trompé sur son compte, qu'il n'avait pas d'aptitude particulière pour la sorcellerie.

S'il était moyen en tout, pourquoi cela serait-il différent pour la magie ? Mais il n'avait plus le choix : il ne serait jamais Chevalier. Tout au plus était-il libre d'abandonner son apprentissage et de vivre une vie normale de citoyen d'Ys… Cette idée ne lui plaisait pas beaucoup. Il préférait penser que, même s'il n'avait pas de dons particuliers, il pourrait devenir Sorcier en travaillant dur ! Jusqu'à ce que, comme pour son Maître, le destin lui fasse un signe.

Il se replongea dans sa lecture.

Cher cousin,

Je profite de la lettre du grand ahuri, qui ne se sent plus depuis qu'il a gratté sa guitare à Troïl, pour te dire que je suis très fier que tu aies été choisi par le grand Qadehar ! Mon père trouve que c'est une bêtise, que notre oncle n'aurait jamais dû donner son autorisation. J'ai pris ta défense, tu t'en doutes !

Résultat : pas de cinéma samedi. Vivement que je sois Chevalier, pour qu'on s'en aille traquer tous les deux les monstres du Monde Incertain ! À très bientôt en tout cas : Ambre m'a confirmé dans un courrier qu'elle viendrait avec Coralie passer les vacances d'été à Troïl. Ça sera génial !...

Romaric

Guillemot rangea pensivement la lettre dans son sac. C'était vrai, les vacances approchaient. Il avait redoublé d'efforts au troisième trimestre et était sûr maintenant de passer en quatrième à la rentrée. Mais surtout, il avait travaillé dur avec Qadehar. Il était prêt. Ce soir, son Maître ouvrirait pour lui *Le Livre des Étoiles !*

Tout à ses pensées, il n'entendit pas que l'on s'approchait du banc sur lequel il s'était assis, dans la cour de récréation.

– Alors, Guillemot l'endormi, on rêvasse ?

Guillemot sursauta. En face de lui, Agathe de Balangru et sa bande l'observaient avec un mélange d'animosité et de curiosité.

– Ne lui fais pas peur, lança un garçon de la bande : il risquerait de s'évanouir !

Tous ricanèrent méchamment. La grande fille grimaça et les fit taire d'un simple geste.

– C'est vrai, nabot ? Il paraît qu'un Sorcier t'a pris en apprentissage ?

Guillemot observa attentivement Agathe et réfléchit à toute allure. Malgré ses airs de mépris, elle ne se comportait pas aujourd'hui comme d'habitude. On aurait dit… on aurait dit qu'elle avait peur ! Mais peur de quoi, et de qui ? De lui, c'était évident ! Ou plutôt, de l'Apprenti qu'il était devenu. Le cœur de Guillemot se mit à battre très vite. C'était le moment ou jamais d'en profiter ! Une chance pareille ne se reproduirait pas.

Il se leva, et s'efforça de garder une attitude tranquille.

–Oui, c'est vrai. Qadehar le Poursuivant m'enseigne la magie.

Il avait prononcé le nom de son Maître en espérant qu'ils seraient impressionnés : ce fut le cas. Des murmures s'élevèrent au sein de la bande. Agathe les fit de nouveau taire, mais semblait maintenant franchement hésitante. Guillemot devait faire vite avant qu'elle se reprenne. Il les toisa tous du regard et annonça avec audace d'une voix calme :

–Maître Qadehar m'a appris hier un tour amusant : comment rapetisser les jambes des gens ! Je vais vous montrer.

Guillemot adopta la même posture que Qadehar avait prise pour détruire les épées, et prononça d'une voix forte :

– *Taraxacum ! Papaver rhoeas !*

Thomas de Kandarisar, aussi stupide qu'il était fort, poussa un hurlement et prit ses jambes à son cou, immédiatement suivi par toute la bande. Agathe jeta un regard haineux sur le garçon fluet qui, les bras levés, invoquait des puissances maléfiques, puis elle s'enfuit à son tour.

Guillemot éclata de rire : il venait de faire fuir la terreur du collège en criant le nom savant du pissenlit et celui du coquelicot ! Pour cet instant de pur bonheur, il ne regretterait jamais d'avoir dit oui à Qadehar ! La magie, ça avait du bon.

Comme l'heure avançait, Guillemot quitta subrepticement le collège, traversa la ville, prit la route de Troïl et se hâta en direction de la colline où Qadehar lui avait donné rendez-vous.

Un gigantesque dolmen se dressait au sommet de la colline, d'où la vue portait loin au sud sur la mer, et à l'est sur les montagnes. Les enfants y venaient volontiers pour jouer, ainsi que les amoureux, lorsque la lune était pleine au printemps. Aujourd'hui, Guillemot était là pour tout autre chose.

Qadehar était déjà arrivé et l'attendait, assis en tailleur sur l'énorme dalle de granit. Il se leva à son approche.

– Bonjour, Guillemot !

– Bonjour, Maître, répondit le jeune garçon, essoufflé.

– Ici, dit Qadehar en gonflant ses poumons, l'air a une odeur délicieuse ! Tu ne trouves pas ?

– Si, hésita Guillemot qui ne s'attendait pas à un tel accueil.

– J'aime cet endroit ! On dirait vraiment qu'il est magique !

Le Sorcier avait prononcé les derniers mots d'une telle façon qu'ils amenaient sans aucun doute un commentaire. L'Apprenti prit son inspiration.

– C'est normal, Maître : les courants telluriques de Troïl rejoignent ici ceux de Dashtikazar.

Qadehar lui jeta un regard perçant.

– Rappelle-moi ce qu'est un courant tellurique, Guillemot, demanda-t-il d'un ton qui n'avait plus rien d'amical.

– Un ruisseau d'énergie qui coule de façon invisible dans le sol, Maître. De temps en temps, plusieurs ruisseaux se rejoignent et forment une rivière d'énergie. Les endroits où ils se rejoignent s'appellent des nœuds telluriques. La force y est puissante. Comme ici, Maître.

Guillemot avait répondu avec une parfaite assurance. Qadehar sauta du dolmen, se pencha au milieu des herbes et arracha une fleur qu'il mit sous le nez de Guillemot.

– Qu'est-ce que c'est ?

– *Hypericum maculatum*, millepertuis maculé ! Elle se cueille en été. Elle contient une huile qui devient rouge et que l'on utilise pour cicatriser les plaies.

– Est-ce la seule dans ce cas ?

Guillemot hésita, mais Qadehar le foudroya du regard et il balbutia :

– Heu, non, non… Elle a une sœur, l'*Hypericum perforatum*, le millepertuis perforé, qui préfère les sols plus secs.

Le visage du Sorcier s'éclaira d'un large sourire.

– Bien, Guillemot, très bien !

Il remonta sur le dolmen et fit signe au garçon, soulagé, de venir le rejoindre.

– Tu as beaucoup travaillé. D'ailleurs, je n'ai jamais douté de toi.

Guillemot rayonnait. Son Maître reprit :

– Comme je te l'ai promis, je vais ouvrir pour toi

Le Livre des Étoiles et t'enseigner le premier des secrets de la Guilde. Mais avant, j'ai quelque chose à te donner.

Il sortit de sa propre besace une sacoche de toile flambant neuve ainsi qu'un carnet épais recouvert de cuir noir.

– Tout Apprenti Sorcier possède une sacoche semblable dans laquelle il range les livres qu'il étudie, les plantes qu'il ramasse et… son carnet personnel, qui contient son cheminement et ses propres découvertes !

Guillemot prit avec la plus grande précaution les deux objets et les examina avec ravissement.

– Je ne vérifierai jamais ce que tu inscriras dans ton carnet, Guillemot, lui précisa Qadehar, amusé par la réaction de son élève. Ce sera à toi de juger ce qu'il est important d'y noter.

– Je vous remercie, Maître ! Ce sont les plus beaux cadeaux que l'on m'ait jamais faits !

– Bien, bien, fit simplement le Sorcier qui paraissait attendri. Est-ce que tu es prêt, maintenant, pour *Le Livre des Étoiles ?*

– Oh oui, répondit Guillemot les yeux brillants. Je suis prêt !

– Alors écoute-moi et, si quelque chose ne te paraît pas clair, n'hésite pas à m'interrompre et à me poser des questions.

10
Le secret de la nuit

– Guillemot, mon jeune élève, commença Qadehar, le premier effort à faire pour accéder à la compréhension magique du monde, c'est de le regarder différemment. Vois cette pierre, continua-t-il en désignant un rocher, sens ce vent, fit-il en gonflant ses poumons, écoute ce chant d'oiseau : rien de commun entre eux, à première vue. Eh bien pourtant, quelque chose les relie tous les trois !

– Quelque chose, Maître ? questionna Guillemot bien décidé à tout comprendre du secret de la sorcellerie que Qadehar était en train de lui révéler.

– Oui, Guillemot, un lien invisible, qui unit tout ce qui existe, c'est-à-dire les cinq éléments ! Tu connais les cinq éléments, j'espère ?

– C'est que… hésita Guillemot, je croyais qu'il y en avait quatre : l'eau, la terre, le feu et l'air.

– Tu oublies la chair ! fit Qadehar d'un air malicieux.

– La chair… Vous voulez dire la viande ?

– Je veux dire les hommes, les plantes, les animaux… Tout ce qui respire, mon garçon ! Tu as compris ? Je continue ?

– Oui, oui, Maître. Continuez !

– Eh bien, ces cinq éléments sont rattachés par un lien invisible et impalpable, que les anciens ont appelé le *Wyrd*. Rappelle-toi : le *Wyrd !* Comme une toile d'araignée gigantesque, dont les fils seraient rattachés à chaque chose. Que dis-tu de cela ?

– Mouais, fit Guillemot en réfléchissant. Ça voudrait dire par exemple que si je bouge, toute la toile bouge et donc que tout le monde sent que je bouge… Impossible.

– Non, Guillemot, répondit Qadehar visiblement ravi par la réponse de son élève, pas impossible : simplement, la toile est si vaste que lorsque tu bouges, rien ni personne ne le ressent directement, sauf ce qui est vraiment proche de toi. Les mathématiciens du Monde Certain ont eu l'intuition du *Wyrd* et ont construit dessus la théorie du chaos. Tu en as entendu parler ?

– Heu… hésita le garçon, oui, je crois. Ce n'est pas l'histoire du battement d'ailes d'un papillon qui fait naître une tempête à l'autre bout de la planète ?

– C'est cela, Guillemot ! Cette théorie dit, en simplifiant, qu'un seul petit acte de rien du tout peut avoir des répercussions sur l'intégralité du reste. Maintenant, continua le Sorcier, imagine que l'on soit capable de contrôler ces répercussions ! Que l'on soit capable d'accomplir un acte en sachant ce qu'il va provoquer à un endroit précis de la toile !

– Cela voudrait dire, avança prudemment le garçon, que l'on aurait le pouvoir d'influer sur des choses par l'intermédiaire d'autres choses qui n'ont à première vue rien à voir avec elles… Mais comment, Maître ?

Qadehar sourit de la soudaine exaltation du garçon

qui commençait à découvrir toute l'ampleur du secret de la Guilde.

– Grâce à des clés, Guillemot. Des clés permettant d'accéder au *Wyrd*, d'atteindre la structure la plus intime de ce qui existe !

– Des clés ? Comme les clés qui ouvrent les portes ? avança timidement l'Apprenti.

– Exactement, mon garçon ! Sauf que ces clés ne sont pas des objets, mais des signes.

Le Sorcier étira son grand corps et soupira d'aise, profitant des derniers rayons du soleil. Son regard se perdit un moment en direction de l'horizon. Guillemot agrippa la manche du manteau sombre, et supplia :

– Maître Qadehar, s'il vous plaît…

Qadehar eut un rire affectueux.

– Prendrais-tu goût aux secrets de la sorcellerie, Guillemot ?

– Vous parliez de signes, Maître, implora le garçon, de signes qui permettent d'ouvrir des portes !

– Oui, continua le Sorcier avec amusement car il voyait Guillemot noter soigneusement ce qu'il disait dans son carnet tout neuf. Pense à une sorte d'alphabet, dont chacune des lettres posséderait une signification et un pouvoir particulier. Maintenant, imagine ces lettres reliées les unes aux autres dans des mots, puis les mots aux mots dans des phrases ! Te voilà en possession du flux d'énergie nécessaire pour visualiser, pénétrer et modifier le *Wyrd !* Tel est le secret, Guillemot, le secret de la pratique magique : établir et contrôler un lien entre des choses très différentes !

– Génial ! s'exclama Guillemot. Ça veut dire qu'avec ces signes, on peut contrôler l'univers !

– Doucement, doucement, réagit Qadehar devant l'enthousiasme de son Apprenti. Ce n'est pas si simple ! D'abord, la sorcellerie n'est pas une science exacte, mais le résultat de tâtonnements et d'expériences sans cesse renouvelés. Ensuite, le *Wyrd* possède ses propres lois qu'il ne faut pas transgresser, faute de quoi absolument tout s'effondrerait. Enfin, ces signes, que nous autres Sorciers appelons Graphèmes, sont des énergies neutres dont l'impact dépend uniquement de celui qui les utilise… Qu'en penses-tu, Guillemot ?

– Heu… qu'il faut faire attention ? Ne pas faire n'importe quoi ?

– Bravo, petit ! répondit Qadehar en tapotant l'épaule du garçon d'un air satisfait. En attendant d'avoir atteint l'âge où la sagesse s'impose à l'homme, prudence et humilité doivent être les maîtres mots du Sorcier !

– Dites-m'en plus sur les sign… sur les Graphèmes, Maître !

– Guillemot, je vais d'abord t'en dire plus sur ce que seront tes prochaines années d'étude de la sorcellerie. Et si tu n'es pas découragé, je te parlerai encore des Graphèmes !

– D'accord ! accepta Guillemot, ravi.

– Il te faudra beaucoup travailler des matières qui te sembleront éloignées de la magie proprement dite, comme la géologie, la géographie ou l'histoire. Apprendre les cartes des vents, des courants terrestres et marins ; la composition des roches et des métaux, le comportement des animaux, les propriétés des plantes, la psychologie des hommes, bref, tout ce qui concerne les cinq éléments ! Car comprendre le monde est indispensable à qui veut agir sur le *Wyrd*.

Guillemot soupira. La magie semblait tout à coup beaucoup moins drôle que ce qu'il venait de s'imaginer ! Il hocha malgré tout la tête. Qadehar continua :

– Tu fortifieras et assoupliras ton corps avec des exercices : faire de la magie réclame puissance et endurance ! Tu travailleras ton souffle : le souffle est le moteur principal de la pratique magique. Ne néglige jamais ton corps, Guillemot : il est ton unique source d'énergie.

– La force d'un Sorcier, Maître, s'inquiéta Guillemot, dépend de celle de son corps ?

– Oui et non, mon garçon. La force d'un Sorcier réside avant tout dans la façon dont il maîtrise son art. Mais également dans sa capacité à se servir des énergies élémentaires : et canaliser un flux tellurique demande d'être solide, crois-moi ! Enfin, certains Sorciers possèdent à un plus haut degré que d'autres la force intérieure particulière que nous appelons *Önd* et qui donne sa puissance à notre magie. On naît avec un *Önd* puissant, comme certains avec la capacité de courir vite ou celle de savoir dessiner !

– Ce… *Önd*, Maître, se hasarda Guillemot. Est-ce qu'il a un rapport avec l'effet Tarquin ?

– C'est bien possible, reconnut Qadehar. Je vois que tu comprends vite. Je continue ?

Guillemot acquiesça vigoureusement. Le Sorcier reprit :

– En même temps que tu entraîneras ta mémoire et ton corps, tu travailleras sur les Graphèmes. Il s'agira d'abord de bien les connaître : leur nom, leur forme, leur ordre dans l'alphabet et leurs pouvoirs. Ensuite, il faudra te les approprier, les redécouvrir toi-même par la méditation, créer avec eux une intimité dans ton cœur et dans ton esprit. Une fois les Graphèmes acquis, tu apprendras avec mon aide à t'en servir : les écrire ou les graver, les chanter, les appeler en toi et les reproduire. Grâce à eux, tu pourras te défendre contre toutes les agressions et te rendre maître de n'importe quel adversaire, ou bien devenir clairvoyant, et même interroger l'avenir ! Qu'en dis-tu ?

Guillemot resta un moment silencieux. Ce qu'il en disait, c'était que de toute façon il n'avait pas le choix ! Et qu'une partie du programme lui paraissait beaucoup moins passionnante que l'autre… Il se força néanmoins à adopter un ton joyeux, en pensant aux mystérieux Graphèmes qui le fascinaient.

– Génial, Maître !

– Bien, bien, mon garçon. À présent, que veux-tu savoir ?

– Ces Graphèmes… Qui les a inventés ?

– On ne sait pas qui les a inventés, Guillemot. Pas plus que l'on ne sait qui a écrit *Le Livre des Étoiles*, ni même depuis combien de temps il est en notre possession… C'est bien *Le Livre des Étoiles* qui nous a révélé les Graphèmes mais ils sont sous les yeux des hommes depuis toujours.

– Où ça, Maître, où ça ? demanda Guillemot en regardant partout autour de lui.

– Mais… là, mon garçon, fit doucement le Sorcier en désignant les étoiles qui s'installaient dans le ciel au fur et à mesure que s'accentuait le crépuscule. Dans le secret de la nuit.

– Vous voulez dire que…

– Je veux simplement dire que les Graphèmes nous viennent des étoiles, plus précisément de certaines constellations dont ils reproduisent la forme. C'est pour cela que nous avons appelé notre précieux grimoire *Le Livre des Étoiles* : à cause du ciel nocturne et de l'alphabet que les astres, reflétant le *Wyrd*, y dessinent en pointillé lumineux !

Guillemot exultait. Le regard perdu dans le ciel, il lui semblait enfin avoir trouvé sa place dans ce monde : là-haut, dans l'intimité des étoiles !

11
L'enlèvement

Guillemot, les yeux fermés, s'efforçait de visualiser le troisième Graphème de l'alphabet des étoiles. Le dessin, simple pourtant, avait du mal à apparaître avec netteté dans son esprit. Il fit un dernier effort de concentration puis, devant son insuccès, abandonna et ouvrit les yeux. Il cligna des paupières sous la lumière crue du soleil de midi qui ricochait sur le sable de la plage, où il s'était installé pour travailler.

Voilà trois semaines que Qadehar, son Maître Sorcier, avait ouvert pour lui *Le Livre des Étoiles*, et trois semaines qu'il tentait péniblement d'en acquérir les signes, ces clés qui ouvraient les portes de la vraie magie. Trois semaines qu'il avait passées tout entières ou presque sur les trois premiers Graphèmes, profitant du relâchement des professeurs qui annonçait l'imminence des grandes vacances et délaissant l'étude des cinq éléments. Pour quels résultats ? Trois malheureux dessins qui se faisaient prier pour apparaître dans son esprit lorsqu'il fermait les yeux. Son Maître ne lui avait donné que la forme et le nom des vingt-quatre signes, considérant qu'il devait s'entraîner à ressentir le pouvoir des Graphèmes avant de se mettre à les étudier vraiment…

La colère envahit Guillemot. Lui, l'Apprenti doué, sélectionné par l'effet Tarquin en personne, calait devant de stupides dessins ! Il posa son carnet dans le sable. Puis il respira profondément, ferma de nouveau les yeux et entreprit de se concentrer de son mieux. Le premier Graphème surgit un peu brouillé dans la nuit de son esprit : *Fehu*, qui lui évoquait sans qu'il sache pourquoi une grosse vache. Le deuxième rejoignit le premier : *Uruz*, qui lui faisait penser à la pluie. Le troisième enfin se fixa à côté : *Thursaz*, qui lui semblait rire comme son oncle, d'un rire de géant. Cette fois, ça y était ! Il jubila. Ce fut à ce moment qu'une voix le tira de sa méditation :

– Tu crois qu'il dort ? Hé, Guillemot l'endormi, tu dors ?

Guillemot tressaillit en reconnaissant la voix de Thomas de Kandarisar. Il ouvrit les yeux : ce n'était pas un rêve ; le rouquin se tenait en face de lui et, à ses côtés, les mains sur les hanches et un sourire mauvais sur le visage, Agathe de Balangru. Il pensait pourtant s'être débarrassé d'elle et de sa bande, avec sa formule magique bidon !

– Faut qu'on parle, nabot, grinça la grande fille qui ne semblait plus avoir peur de lui.

– Ouais, renchérit Thomas, tu t'es bien foutu de nous, l'autre jour, pas vrai ?

– Ne nie pas, l'avorton, continua Agathe : j'ai demandé à mon père. Il m'a dit qu'un Apprenti ne peut pas faire de magie.

– Trop nul, ouais ! ajouta Thomas. Paraît qu'y faut plusieurs années avant d'être capable de jeter un sort !

– Alors on s'est dit, termina la fille d'un ton lourd de menaces, qu'il fallait vérifier ça nous-mêmes. Thomas, à toi !

Thomas se précipita sur Guillemot qui s'était relevé d'un bond, prêt à prendre ses jambes à son cou. Seulement, il lui aurait fallu pour cela abandonner son précieux carnet ; aussi ne fit-il pas un geste et se crispa-t-il dans l'attente du choc.

Mais le choc ne vint pas. Thomas s'était figé, paralysé par la peur, les yeux écarquillés tournés vers la mer. Agathe regarda dans la même direction et hurla de terreur : surgissant de l'eau, deux Gommons se précipitaient sur eux.

Les Gommons, créatures massives aux yeux vitreux, aux cheveux d'algue et à la peau couverte d'écailles visqueuses, ressemblaient à des hommes par leur allure, mais plutôt à des bêtes par leur comportement ; des bêtes féroces… Aussi à l'aise dans l'eau que sur le sable ou les rochers des côtes où ils avaient leurs repaires, ils s'étaient montrés dans le passé les pires ennemis des pêcheurs d'Ys. Cela leur avait valu, quelques siècles plus tôt, d'être tous exilés dans le Monde Incertain, grâce à une action conjointe de la Guilde et de la Confrérie !

Depuis, à Ys, on ne connaissait leur existence que par les livres et les légendes.

Seulement, les Gommons qui se précipitaient sur eux, en ce moment, étaient hélas diablement réels…

– Cours ! Cours, Agathe ! hurla à son tour Thomas à la grande fille qui, paralysée de frayeur, semblait incapable d'esquisser un geste.

En jurant, le garçon la saisit par le bras et la força à le suivre. Guillemot les exhorta à se dépêcher. Ils se mirent à courir tous les trois en direction des dunes herbeuses, qui offraient un sol plus stable et donc une chance de semer les Gommons.

Guillemot allait le plus vite qu'il pouvait, mais il commençait déjà à s'essouffler. Il s'enfonçait dans le sable, et la simple action de mettre un pied devant l'autre réclamait un effort épuisant. Il avait le sentiment très désagréable que chaque enjambée le ramenait un peu en arrière ! C'était comme ces cauchemars que l'on fait parfois, dans lesquels on est poursuivi par une créature horrible alors que, les pieds collés au sol, on ne parvient plus à avancer ! Guillemot ne put s'empêcher de trembler. Jamais ils ne parviendraient jusqu'aux dunes ! Il jeta un coup d'œil derrière lui : Thomas et Agathe ne s'en sortaient pas mieux, et, plus lourds, ils peinaient même davantage. Les deux monstres n'étaient plus très loin.

Thomas se retourna lui aussi. Il aperçut les créatures couvertes d'écailles à quelques pas seulement. Un sentiment de panique le submergea et il cria. Puis il lâcha le bras d'Agathe pour avancer plus vite. Déséquilibrée, la jeune fille trébucha et tomba. Un instant plus tard, le premier Gommon était sur elle. Agathe hurla et se débattit dans tous les sens lorsque des mains puissantes la saisirent. Le monstre la souleva comme si elle n'avait rien pesé, la jeta sur son épaule, fit demi-tour et l'emporta vers l'océan, sans prêter attention aux cris et aux appels au secours de sa victime. Le second Gommon s'approcha des deux garçons qui, saisis par la scène, s'étaient arrêtés de courir. Son rictus découvrant des dents pointues et le couteau luisant qu'il tenait dans une main les renseignèrent vite sur les intentions de la créature : eux ne seraient pas enlevés, mais tués !

– AHAAAAA !

Ils poussèrent ensemble un cri d'épouvante et détalèrent.

– Plus vite ! Plus vite ! haleta Guillemot à l'intention de Thomas, qui perdait du terrain.

Le Gommon, habitué à se déplacer sur le sable, gagnait sur eux. Les dunes étaient toutes proches : ils pouvaient encore s'en sortir, mais ce serait de justesse ! Ce fut à ce moment que Thomas trébucha et s'affala sur le sable en grognant de douleur. Guillemot arrêta sa course et vint en aide à son compagnon de fuite.

– Relève-toi, Thomas ! Allez, debout !

Le garçon étendu sur le sol regardait avec des yeux agrandis par la peur leur poursuivant qui se rapprochait. Il tenta de se remettre debout, mais sa cheville, qu'il avait dû se tordre dans sa chute, se déroba ; il retomba par terre.

– C'est trop tard ! gémit Thomas. Va-t'en, pars !

Guillemot hésita.

Il se sentait capable de semer le Gommon, une fois qu'il aurait atteint l'herbe des dunes.

Les premières maisons n'étaient qu'à dix minutes de là : il pourrait ramener de l'aide rapidement. Mais pas assez vite pour sauver Thomas. Il avait mille fois souhaité sa mort, lorsque le rouquin s'acharnait sur lui, à l'école ! Mais entre souhaiter quelque chose sous le coup de la colère et la voir s'accomplir… Le sort qui attendait Thomas était sans commune mesure avec les brimades qu'il lui faisait subir. Non, il lutterait jusqu'au bout avec lui, et il ne l'abandonnerait pas. Quoi qu'il puisse se passer ! Décidément, songea Guillemot, on n'échappait pas à sa nature : devenir un Apprenti Sorcier ne l'avait pas délivré de ses dangereux penchants chevaleresques.

Le Gommon était maintenant à quelques pas : fuir ne servait plus à rien. Thomas de Kandarisar, fou de terreur, rampait sur le sol en se tenant la cheville, aidé par Guillemot dans un ultime effort. La créature n'avait plus qu'à tendre les bras pour les attraper. Elle le savait et semblait prendre son temps, peut-être par plaisir. La lame du couteau qu'elle tenait dans sa main brillait encore plus fort sous la lumière du soleil.

C'est alors que quelque chose d'étrange se produisit.

Dans la tête de Guillemot, sans qu'il l'ait évoqué, le troisième Graphème fit son apparition, bien plus nettement que pendant ses entraînements. Rapidement, le dessin prit possession de l'esprit du garçon, grandit et s'enflamma, diffusant en lui une chaleur d'abord douce puis bientôt insupportable. Il lui sembla que le Graphème le brûlait, le consumait de l'intérieur. Guillemot lâcha Thomas et se redressa, face à leur poursuivant. Les mains de chaque côté du crâne, il se tordait de douleur en gémissant.

Surpris, le Gommon se figea et l'observa de ses yeux vitreux. Alors, et cela parut à Guillemot la seule solution pour cesser d'avoir mal, il cria le nom du Graphème, espérant de toutes ses forces se débarrasser ainsi du feu qui le dévorait.

– *Thuuursaaaaz* ! ! ! !

Le Gommon recula soudainement, comme s'il avait été frappé par un énorme coup de poing. Il grogna, regarda les deux garçons avec un air d'incompréhension puis s'effondra, foudroyé, sur le sable.

– Ça alors ! s'exclama Thomas en se remettant debout. Comment tu as fait ?

Guillemot s'était senti instantanément soulagé après avoir crié le nom du Graphème. On aurait dit que le signe magique avait agi de lui-même pour l'obliger, lui qui l'ignorait, à s'en servir comme il le fallait ! Il observait le Gommon à terre, sans en croire ses yeux, tout comme Thomas qui s'appuyait sur son épaule.

– Comment tu as fait, dis, comment tu as fait ? répéta Thomas d'une voix tremblante, où perçait l'admiration.

Tous deux avaient les jambes encore flageolantes. Jamais Guillemot n'avait eu si peur de sa vie ! Même la fois où son oncle Urien l'avait pourchassé dans le château de Troïl pour lui flanquer une correction, parce qu'ils avaient, avec Romaric, glissé un rat mort dans son lit…

Il prit le temps de respirer à fond avant de répondre :

– J'apprends la sorcellerie… Je ne te l'avais pas dit ?

Thomas de Kandarisar ne trouva rien à ajouter et se contenta de hocher la tête avec gravité. Puis ils se rappelèrent soudain qu'Agathe avait disparu, et l'épisode de son enlèvement, occulté par la joie d'être toujours vivants, leur revint brutalement en mémoire.

– Dépêchons-nous d'avertir la Confrérie, lança Guillemot à Thomas qui, sous le choc de l'horrible aventure, avivé par la disparition de sa complice, ne put contenir un sanglot.

Guillemot rebroussa chemin jusqu'à l'endroit où il avait laissé son carnet sur le sable et le fourra dans sa sacoche. Puis, en le soutenant du mieux qu'il pouvait, il entraîna le gros garçon claudiquant en direction de Dashtikazar.

12
Dans le palais du Prévost

L'enlèvement d'Agathe fit grand bruit.

Plus exactement, il provoqua un véritable tremblement de terre qui secoua le Pays d'Ys tout entier ! D'abord parce que monsieur de Balangru, laissant son épouse pleurer pour deux la disparition de leur fille, fit un scandale et tempêta contre la Confrérie, qui selon lui n'avait pas fait son travail. Ensuite parce que la Confrérie, pour se racheter, fouilla le pays de fond en comble, en vain. Également parce que la présence de Gommons sur les côtes signifiait qu'Ys n'était plus à l'abri des menaces du Monde Incertain. Enfin parce que chacun craignait plus ou moins que l'Ombre ne soit derrière cette nouvelle provocation.

On gardait en effet très présents à la mémoire les méfaits que l'Ombre avait déjà accomplis : de la destruction de villages entiers par des bandes d'Orks sanguinaires (l'équivalent terrestre des Gommons, à la différence qu'ils étaient, eux, un pur produit du Monde Incertain) à la tentative presque réussie d'incendier Dashtikazar avec des boules de feu maléfiques. Il s'en était fallu à chaque fois d'un rien pour que les Chevaliers ou les Sorciers échouent à contrer ses attaques !

Les gens d'Ys se souvenaient tout particulièrement du jour où l'Ombre elle-même fut aperçue rôdant à proximité d'un hameau des Montagnes Dorées que ses monstres venaient de réduire à néant. Plus encore que les cadavres des malheureux villageois jonchant la route ou l'armée des Orks massée sur les hauteurs, c'était sa présence nébuleuse et glacée qui avait terrifié l'escouade de Chevaliers du Vent venue se porter à la rencontre de l'ennemi.

Le Pays d'Ys était en ébullition. Les Qamdars s'étaient réunis en assemblée et, dans les quartiers, villages et hameaux, les hommes se relayaient pour monter la garde. Les routes et les chemins résonnaient des galops des chevaux de la Confrérie, et l'on n'avait plus vu depuis longtemps autant de manteaux sombres sillonner villes et campagnes. Enfin, aujourd'hui était un jour particulier : non pas parce que c'était le premier jour des grandes vacances scolaires, mais parce que le Prévost avait convoqué dans son palais le Représentant des clans, le Grand Mage de la Guilde, le Commandeur de la Confrérie et le Délégué des corporations de commerçants et d'artisans. Les habitants d'Ys attendaient beaucoup de cette réunion au sommet.

– Alors, mon garçon, comment te sens-tu ? demanda Maître Qadehar à Guillemot alors qu'ils s'avançaient tous les deux dans le long corridor du palais du Prévost conduisant à la salle de réunion.

– Ça ira mieux quand ça sera terminé, répondit Guillemot en faisant une grimace.

Se retrouver convoqué par le Prévost en même

temps que les plus grands personnages d'Ys avait en effet de quoi effrayer le garçon le plus brave ! Guillemot n'avait d'ailleurs accepté l'invitation qu'avec l'assurance de pouvoir être accompagné de son Maître.

– Bah ! répondit Qadehar en lui décochant un de ses sourires qui savaient lui réchauffer le cœur, après ce que tu as vécu, cet entretien, ce n'est pas si terrible !

– Ouais, grommela le garçon, n'empêche que je me demande si je ne préférerais pas affronter toute une bande de Gommons !

Qadehar rit franchement, bientôt rejoint par Guillemot. Depuis son exploit sur la plage face au monstre venu des flots, il était devenu un héros pour les gens d'Ys, à l'exception du père d'Agathe qui lui avait même clairement reproché de ne pas avoir sauvé sa fille, et de son oncle Urien qui s'était contenté de grogner qu'il avait eu de la chance de s'en tirer et que ce n'était pas la peine d'en faire toute une histoire.

Sa mère avait étrangement manifesté, une fois la peur passée, autant d'inquiétude que de fierté. Mais celui que cet épisode avait le plus marqué, c'était Thomas ; depuis que l'Apprenti Sorcier l'avait tiré des griffes du Gommon, le rejeton des Kandarisar portait sur lui un regard éperdu d'admiration et le suivait partout, comme il le faisait auparavant avec Agathe. Cela avait d'abord énervé Guillemot, puis, voyant qu'il n'arrivait pas à le faire changer d'attitude, il avait fini par en prendre son parti.

Ils arrivèrent devant la salle. Qadehar frappa contre la grande porte de chêne massif. Un garde vint leur ouvrir et les fit entrer. En face d'eux, assis autour d'une imposante table ronde, se tenaient le Prévost et ses illustres invités.

– Bonjour, bonjour, Maître Qadehar, c'est toujours une joie de vous revoir ! lança le seigneur des lieux à l'intention du Sorcier.

Le Prévost était un homme d'environ soixante-dix ans, à l'œil perçant et à la voix assurée. En son temps il avait été un chef de clan droit et avisé, ce qui lui avait valu d'être élu à ce poste avec une confortable majorité ; on le savait adroit en affaires et habile diplomate, sachant apprécier les conseils pertinents et malgré tout ferme dans ses décisions. Jusqu'à présent, les gens d'Ys n'avaient eu qu'à se féliciter de leur choix.

– Votre Honneur… répondit Qadehar en s'inclinant légèrement tandis que Guillemot s'efforçait de rester en retrait.

À la table se tenait également le Commandeur qui dirigeait la Confrérie, un colosse dans la force de l'âge, dont le visage couvert de cicatrices portait la trace de nombreuses batailles. Il avait été le meilleur Chevalier de sa génération, et ses pairs l'avaient choisi à l'unanimité pour remplacer son prédécesseur mort lors des violents combats que leur ordre avait dû mener dans les Montagnes Dorées contre les hordes d'Orks lancées par l'Ombre.

À ses côtés, le ventre rond et le regard vif, était assis le Délégué veillant aux intérêts des artisans et commerçants qui l'avaient élu. Bien que moins prestigieux que celui des quatre autres, son pouvoir était peut-être le plus concret, car des corporations dont il était le député dépendait la survie matérielle de tout le pays. Il entrait fréquemment en conflit avec le Prévost au sujet des produits qu'Ys importait du Monde Certain, mais c'était la règle du jeu et leur opposition ne sortait pas de ce cadre.

Un peu plus loin, un homme que Guillemot connaissait bien lui adressait des signes amicaux : c'était Utigern de Krakal, le père d'Ambre et de Coralie, que les Qamdars avaient choisi pour les représenter. Plutôt petit de taille et mince, les cheveux bruns et les yeux bleus, dont ses filles avaient hérité, étaient ce qui frappait le plus chez le personnage. De toutes les personnalités présentes, il était celui dont l'autorité semblait la plus contestable, tant l'on connaissait les rivalités qui divisaient les clans.

Enfin, en bout de table, sous la capuche de son manteau sombre, Charfalaq, le Grand Mage de la Guilde, un vieillard décharné et presque aveugle, tendait l'oreille en direction de ceux qui parlaient. « Ne te fie pas à son apparence, l'avait prévenu Qadehar, malgré son âge, notre Grand Mage reste un puissant Sorcier ! »

– Ah ! voilà sans doute Guillemot, Guillemot de Troïl, l'auteur des exploits de la semaine passée, dit le Prévost en se tournant vers le garçon. Approche, n'aie pas peur !

Tandis que Guillemot s'avançait timidement, le Prévost s'adressa à Utigern de Krakal dont il avait remarqué les signes de connivence en direction du garçon :

– Vous connaissez ce jeune homme, Utigern ?

– Bien sûr, Votre Honneur. Il faudrait être sourd, dans ma maison, pour ne pas en avoir entendu parler ! C'est que, ajouta-t-il avec un clin d'œil pour Guillemot, l'animal semble connaître un joli succès auprès des filles d'Ys !

Malgré la gravité des circonstances, tout le monde sourit. Guillemot, cramoisi, souhaita ardemment posséder dès à présent, si elle existait, la formule qui permettait de disparaître sous terre… Il reconnaissait bien là une mauvaise blague d'Ambre, qui avait dû profiter de ses déboires avec Agathe pour faire courir ce bruit auprès de son père ! Il se promit de régler ça avec elle, à la première occasion.

Le Prévost redevint sérieux et interrogea Qadehar :

– Sait-on comment ce garçon a pu réaliser ce tour contre le Gommon ?

– Pas exactement, Votre Honneur, répondit le Sorcier, après un rapide coup d'œil en direction du Mage. Il semble cependant que Guillemot ait quelques prédispositions pour la magie, suffisamment en tout cas pour avoir déclenché un effet Tarquin. Sans doute, conjugué à cette nature réceptive, l'effet de la peur a-t-il accru le pouvoir des rudiments de sorcellerie que j'ai commencé à lui enseigner…

Le Prévost se tourna vers le Commandeur.

– Commandeur, a-t-on des nouvelles de la fille Balangru ?

– Hélas ! non, Votre Honneur, répondit le Chevalier. Une chose est certaine, cependant : elle ne se trouve plus à Ys…

La réponse du colosse plongea chacun dans le silence. Le Prévost s'adressa au Mage.

– Grand Mage Charfalaq, où en sont vos recherches ? Le Gommon prisonnier a-t-il livré ses secrets ?

– Il est trop tôt, Votre Honneur, répondit le vieil homme d'une voix éraillée mais tranquille que ponctuaient de longues quintes de toux. Nos meilleurs Sorciers travaillent sur ce mystère. Quant au Gommon… Il est coriace ! Mais il finira par parler.

Un nouveau silence suivit les paroles du vieux sage. Ce fut le Délégué qui le rompit :

– Sait-on au moins pourquoi la fille Balangru a été enlevée ? A-t-on reçu une demande de rançon ?

– Non, répondit le Commandeur à qui incombait la sécurité du pays. Personne n'a encore contacté la famille…

– Mais enfin, explosa Utigern de Krakal dont l'humeur n'était plus du tout à la plaisanterie, que faut-il faire ? Nos concitoyens sont effrayés, ils attendent des réponses !

– Il n'y a rien à faire d'autre, lui répondit calmement le Prévost. Nous devons rester sur nos gardes, et attendre les résultats de l'enquête…

– … ou bien le prochain enlèvement ! rugit le Représentant des clans. J'ai deux filles, moi, et vous aussi vous avez des enfants, et même des petits-enfants ! Je ne sais pas ce que vous pensez, mais moi, je n'ai pas du tout envie de les voir disparaître !

– Calmez-vous, Utigern, reprit le Prévost. Personne ne souhaite de nouvelles disparitions ! Mais je l'ai dit : il faut être patient. Dans l'immédiat, d'autres choses nous préoccupent. Toi, par exemple, ajouta-t-il en se tournant vers Guillemot.

– Moi ? balbutia-t-il. Mais pourquoi ? Qu'est-ce que j'ai fait ?

– Tu es l'un des deux seuls témoins de l'enlèvement, expliqua le Commandeur. Et tu es celui qui a vaincu le second Gommon. L'autre t'a peut-être vu agir. En tout cas, il est urgent de te mettre en sécurité. Dans l'un des forts de la Confrérie, par exemple.

Le Grand Mage leva la main pour demander la parole ; Guillemot, comme les autres, se tourna vers lui. Le vieil homme dégageait une aura particulière, et l'Apprenti comprit tout à coup ce que son Maître avait voulu dire en lui recommandant de ne pas se fier aux apparences : chez le Mage, la magie se nourrissait moins du corps que le corps se nourrissait de la magie ! Il ne put s'empêcher d'éprouver, au-delà d'une instinctive antipathie pour ce vieillard qui n'avait pas l'air drôle du tout, du respect, et même de l'admiration.

– Pourquoi ne pas le cacher dans l'un de nos monastères ? suggéra Charfalaq. Nulle part ailleurs il ne pourrait être mieux à l'abri !

C'est bien ce que Guillemot craignait ! Se voir enfermer quelque part, alors que l'été commençait ! Il grimaça. Mais, pour le rassurer, Qadehar posa une main sur son épaule et réclama la parole :

– C'est très gentil de vous inquiéter pour mon élève… Cependant, je pense que Guillemot sera bien assez en sécurité avec moi. Laissons-le à Troïl : je m'y installerai également et veillerai sur lui, en même temps que je pourrai poursuivre mon enseignement.

Les membres du Conseil palabrèrent un moment, le Grand Mage se montrant le plus réticent à la proposition du Sorcier. Enfin, tous se rangèrent derrière l'avis de Qadehar, qui paraissait le plus raisonnable. N'était-il pas celui qui connaissait le mieux le Monde Incertain et les créatures qu'il abritait, et même, disait-on, le seul homme capable de tenir tête à l'Ombre, leur terrible ennemi ?

Qadehar remarqua l'air soulagé de Guillemot en entendant le Prévost confirmer la décision du Conseil de le confier à la garde du Sorcier, et lui adressa un clin d'œil complice. Le garçon se demanda comment son Maître avait fait pour savoir que Romaric, Gontrand, Ambre et Coralie devaient arriver demain à Troïl pour toute la durée des vacances d'été !

13
Retrouvailles

– Raconte, raconte encore ! insista Romaric, tout excité par le récit que venait de faire, pour la dixième fois, Guillemot à ses amis.

– Oh ! la barbe, lui répondit Ambre, tu ne vois pas qu'il en a marre ?

– Enfin, râla le garçon blond, ce n'est quand même pas tous les jours qu'on a la chance d'écouter un authentique héros raconter son histoire !

– Je comprends ça, lança Gontrand, moqueur : moi-même, si j'étais moins que rien, je ressentirais le besoin de fréquenter des êtres exceptionnels, comme un tueur de Gommon, ou un musicien génial.

– Ouais, grogna Romaric en frappant l'épaule du grand garçon maigre qui protesta, tu vas voir ce qu'un futur Chevalier va faire au musicien génial !

C'est à ce moment-là que Coralie fit irruption dans la chambre de Guillemot où ils s'étaient réfugiés pour laisser passer les heures les plus chaudes de l'après-midi, portant sur un plateau des verres d'orangeade bien fraîche. Tout le monde approuva l'initiative. La coquette fit mine de prendre le compliment pour elle et se pavana de façon exagérée, déclenchant des rires.

Décidément, l'été commençait bien !

Depuis que la bande s'était retrouvée pour les vacances dans la maison de Guillemot, les heures se succédaient ainsi, joyeuses, et ils en auraient tous oublié le temps qui passait si la mère de Guillemot ne les avait pas appelés pour les repas.

C'était à Ys une habitude : les parents exigeaient beaucoup de leurs enfants durant toute l'année scolaire, mais en contrepartie ils leur laissaient une liberté presque absolue pendant les deux mois des vacances d'été. Inutile de dire que ce moment était attendu avec impatience par tous les écoliers du pays !

Les balades sur la lande alternaient avec les défis sportifs que les amis se lançaient sur la place du village de Troïl, les jeux de cartes dans la chambre de Guillemot avec les soirées passées à discuter dans le salon, après avoir visionné une vidéo.

Guillemot était souvent au centre du tourbillon joyeux. Raconter son aventure ne lui déplaisait aucunement ; il se surprenait parfois à ajouter des éléments qu'il inventait dans le feu du récit, et à éprouver de l'orgueil en voyant les regards brillants de ses amis tournés vers lui. Dans celui de son cousin Romaric, il avait même décelé de l'admiration et cela, plus que tout peut-être, le comblait d'aise !

Il profitait aujourd'hui davantage encore de ces moments car il avait obtenu de Qadehar, qui logeait chez l'oncle Urien, un jour de repos complet : dès le lendemain, il lui faudrait de nouveau passer une partie de ses journées avec son Maître.

– On marche jusqu'aux falaises ? proposa Ambre

après qu'ils eurent bu jusqu'à la dernière goutte de leur verre.

– Génial ! acquiesça Gontrand en sautant sur ses pieds, bientôt suivi par les autres.

Ils dévalèrent bruyamment l'escalier et sortirent dans la rue pavée qui serpentait à travers le village de Troïl.

La maison qu'habitait Guillemot était située à l'entrée du village, sans voisin immédiat.

D'un côté s'étendait la lande qui conduisait à la mer, et de l'autre commençait une forêt de chênes et de hêtres, qui s'enfonçait dans l'arrière-pays. Mais la petite bande avait choisi de se diriger vers les falaises côtières, qu'elle préférait.

Guillemot ralentit son allure et marcha bientôt côte à côte avec Ambre.

– Pourquoi est-ce que tu as raconté toutes ces histoires à ton père ?

– Quelles histoires ? demanda Ambre avec surprise, en se tournant vers lui.

– Tu sais bien, s'empourpra le garçon, à propos de moi et des filles d'Ys…

– Ah ! ça, reconnut Ambre en adoptant un ton léger, je ne sais plus. Sans doute que cette idée m'a traversé la tête et qu'elle m'a amusée !

– Eh bien, ça n'a rien de marrant ! se fâcha Guillemot.

Ambre mima la surprise :

– Ah bon ? Alors ce n'est pas vrai ?

Guillemot se renfrogna. Il était impossible de discuter sérieusement avec cette fille.

Consciente d'être allée un peu trop loin, elle essaya de relancer la discussion :

– Ta mère est vraiment gentille de nous recevoir tous les quatre pendant deux mois !

– Oui, c'est vrai, acquiesça Guillemot. Pour rien au monde elle ne voudrait que je sois malheureux ; et ç'aurait été le cas, si j'avais dû passer l'été loin de vous.

– Flatteur ! rétorqua Coralie qui s'était rapprochée d'eux, laissant Romaric expliquer avec de grands gestes à Gontrand l'entraînement qu'il s'était imposé pour son examen d'entrée à la Confrérie.

– Ma mère a toujours l'air si triste ! On dirait qu'elle se sent coupable d'avoir laissé partir mon père et de ne pas m'avoir donné de frères et sœurs… soupira Guillemot.

– Et moi qui donnerais tout pour être fille unique ! s'exclama Ambre que sa sœur fusilla du regard.

– Le principal, c'est qu'elle t'aime, non ? conclut Coralie gentiment.

– Oui, oui, tu as raison, dit Guillemot, évasif, comme pour chasser les mauvaises pensées qui auraient pu venir gâcher le bonheur de ses journées.

Ils parvinrent bientôt en vue des falaises de calcaire blanc qui se dressaient au-dessus de l'océan, géantes fragiles, changeant constamment d'aspect sous les assauts de la mer, du vent et de la pluie, s'érodant lentement ou s'effondrant par pans entiers. Elles étaient moins spectaculaires que celles des côtes de la Lande Amère ou des Montagnes Dorées, là où s'était produite la déchirure quand la grande tempête avait arraché Ys au continent. Mais elles restaient malgré tout imposantes.

Ils prirent le chemin menant à la plage de galets, après un coup d'œil vers Guillemot qui les rassura avec un sourire : ce n'était pas parce qu'une fois des Gommons s'étaient attaqués à lui qu'il lui fallait fuir à jamais les plages d'Ys !

En chemin, Guillemot décrivait à ses amis étonnés la vie qu'abritaient ces falaises à première vue inhospitalières : lorsque la pente était douce, des pelouses se développaient, fleuries de fétuques rouges et d'achillées mille-feuilles, attirant les papillons et parfois les hérissons. Dans les fissures de la paroi abrupte nichaient des mouettes, des goélands argentés et des faucons crécerelles.

– Ne me dis pas que c'est à l'école que tu apprends tout ça ! le coupa Gontrand alors qu'ils marchaient sur les galets du bord de mer.

– Non, c'est avec Maître Qadehar… Cela fait partie de mon apprentissage, révéla Guillemot.

– Et la magie, dans tout ça ? demanda Coralie, curieuse.

– Je vous l'ai répété, répondit-il, je ne dois absolument jamais aborder ce sujet, même avec vous. Je l'ai promis…

– On sait, on sait, bougonna Romaric. Coralie disait ça sans réfléchir, c'est tout.

– C'est sa spécialité, laissa tomber Ambre, avant de lancer joyeusement à la cantonade : faisons plutôt de l'escalade ! Qui relève mon défi ?

Sa proposition ne provoqua pas beaucoup d'enthousiasme. Chacun savait qu'il était impossible de grimper aussi bien qu'elle. Comme d'habitude, Romaric fut le seul à relever le défi. « Sans doute un réflexe idiot de futur Chevalier ! » se moqua Gontrand. Ils s'assirent pour assister au spectacle.

Romaric grimpait tout en puissance, et chaque geste lui arrachait un grognement. Ambre se déplaçait gracieusement et s'élevait sans effort apparent. On aurait dit qu'elle dansait sur la paroi, cherchant ses prises de main et de pied à l'aide de souples mouvements de balancier. Elle le distança rapidement. Elle parvint bientôt au sommet du rocher qu'elle avait choisi, sous les applaudissements des autres restés en bas. Malgré le ressentiment qu'il éprouvait encore à son égard, Guillemot était ému. Il se demandait s'il avait déjà vu un spectacle aussi beau que celui d'Ambre caressant et apprivoisant la falaise.

Romaric, quant à lui, soufflant et transpirant, la rejoignait seulement. Elle lui tendit la main pour l'aider dans le dernier mètre, et il l'accepta de bon cœur. Juchés tous les deux sur le même rocher, ils crièrent leur victoire, les bras levés. Gontrand, Coralie et Guillemot leur répondirent d'en bas. C'est alors qu'Ambre hurla :

– LÀ ! LÀ ! GUILLEMOT ! ATTENTION !

Toute pâle, elle désignait en s'agitant des buissons proches de la mer. Romaric se mit lui aussi à crier et à gesticuler. Les trois autres restés sur la plage se retournèrent. Ils virent une ombre se profiler sur les galets non loin d'eux, une ombre large et trapue.

Coralie se mit à hurler. Guillemot, figé, tenta un moment d'appeler à lui le Graphème qui l'avait sauvé la dernière fois, mais abandonna rapidement : c'était

Thursaz qui était venu tout seul, et non lui qui l'avait fait venir. Il baissa la tête, subitement honteux de ses vantardises auprès de ses amis, puis la releva, prêt malgré tout à se défendre farouchement. Il vit Gontrand extirper en tremblant de sa poche un étrange sifflet et, bien qu'il n'en sortît pas un son, souffler dedans à s'en faire exploser les poumons.

Soudain, dans un grincement effroyable et un jaillissement d'étincelles, un rocher tout proche d'eux sembla s'ouvrir et Qadehar apparut. En chancelant, il se précipita entre Guillemot et l'ombre qui n'avait pas bougé, adoptant une posture magique de défense. Le temps sembla se figer. Personne ne bougeait, ni même n'osait respirer. Un instant après, le Sorcier se détendit et éclata de rire.

– Approche ! N'aie pas peur !

Des buissons où il se cachait sortit celui dont le soleil projetait l'ombre sur la plage.

– Je n'ai pas peur, bougonna une voix que tous reconnurent avec stupeur.

Apparut alors, les mains dans les poches et la mine contrariée, Thomas de Kandarisar ! Le garçon, large et trapu, s'avança vers le petit groupe en boitant et en traînant les pieds.

14
Vive les vacances !

– Qu'est-ce qu'il peut être collant ! lança Coralie après s'être retournée et avoir aperçu la tignasse rousse de Thomas qui les suivait à distance.

– C'est vrai, admit Romaric, mais il nous l'a expliqué avant-hier, quand il nous a fait si peur sur la plage : il s'est juré de toujours veiller sur Guillemot qui lui a sauvé la vie !

– Vous aviez remarqué, vous, avant, qu'il me suivait ? demanda Guillemot.

– Non, répondirent les autres d'une seule voix.

– Il paraît qu'il est à l'auberge de Troïl, ajouta Coralie qui savait toujours tout. L'aubergiste est un ami de son père.

– Ça ne m'étonne pas, son père a des amis partout, conclut, laconique, Gontrand en haussant les épaules. Quel idiot, ce Thomas, de nous avoir fichu une trouille pareille !

– Et toi, avec ton sifflet magique ! se moqua Romaric en ébouriffant Gontrand.

– Eh bien quoi ! Je ne pouvais pas savoir ! se défendit celui-ci en se recoiffant avec la paume de ses mains.

– En tout cas, tu sais garder un secret, avoua Ambre en le décoiffant de nouveau.

– Arrêtez, quoi, c'est agaçant ! grogna-t-il en lissant encore une fois ses cheveux. Qadehar m'a confié le sifflet d'appel au début des vacances, pour que je puisse l'avertir si Guillemot courait le moindre danger ! Il m'avait demandé de ne rien vous dire. Il me fait confiance.

– Il doit s'en mordre les doigts à présent ! le taquina Romaric.

– Oh ! ça suffit, il a fait ce qu'il devait faire, intervint Guillemot. Merci en tout cas ! Parce que s'il n'y avait eu que moi pour vous défendre...

– Tu n'en sais rien, le rassura Coralie ; peut-être que s'il s'était agi d'un vrai Gommon, ton pouvoir se serait manifesté.

– Oui, peut-être, grimaça le garçon. Bon, les amis, c'est là que je vous laisse. À ce soir !

– À ce soir ! lui répondirent-ils en le regardant disparaître sur le sentier qui conduisait à la clairière du gros chêne où l'attendait le Sorcier Qadehar pour sa leçon quotidienne.

L'épisode de l'ombre sur la plage, bien qu'ayant eu lieu deux jours plus tôt, leur semblait déjà loin. Les vacances avaient pris un autre aspect avec les obligations de Guillemot auprès de son Maître. Il passait avec ses amis la matinée et la soirée, mais l'après-midi était consacré à l'apprentissage des choses magiques. Du coup, Romaric avait décidé de passer cette demi-journée à son entraînement de futur Chevalier, et Gontrand faisait des gammes sur sa cithare en le regardant transpirer. Seules Ambre et Coralie ne se satisfaisaient qu'à moitié de ce nouvel emploi du temps, et s'ennuyaient, après avoir épuisé les mauvais tours à jouer aux deux garçons qu'elles avaient sous la main. Heureusement, ils se rattrapaient tous les cinq le soir venu et s'endormaient tard dans la nuit.

Guillemot parvint bientôt dans la clairière. Qadehar l'attendait, assis par terre les yeux fermés, le dos appuyé contre le tronc d'un chêne. Pour manifester sa présence, le garçon se racla la gorge.

– Viens à côté de moi, lui dit le Sorcier qui n'avait pas bougé.

Guillemot s'exécuta. Il s'assit près de son Maître, en prenant soin d'imiter sa posture.

– Détends-toi et laisse t'envahir l'énergie de l'arbre, qui monte depuis les plus profondes racines jusqu'aux plus hautes feuilles…

Guillemot ferma les yeux et essaya de se concentrer. Il ne ressentait rien… Comme s'il avait deviné ses pensées, Qadehar continua :

– C'est une médecine lente, mon garçon. Mais rassure-toi, ta colonne vertébrale n'a pas besoin de ton attention pour en profiter ! Parlons un peu : tu voulais me demander quelque chose, hier ?

Ils avaient passé l'après-midi de la veille à réciter, encore et encore, les vingt-quatre Graphèmes, malgré les vaines tentatives de Guillemot pour orienter la conversation sur l'épisode des falaises.

– Oui, Maître, répondit-il avec enthousiasme, je voulais savoir…

– Garde ta position, le dos bien contre l'arbre ! Bon, je t'écoute.

Guillemot rectifia sa posture, puis continua :

– Comment avez-vous pu sortir d'un rocher, Maître ?

Le Sorcier rit.

– Parce que je n'étais pas réellement dedans, mon garçon ! J'ai emprunté, pour te rejoindre, les chemins du *Wyrd*. J'ai d'abord calculé ma trajectoire, un peu comme on prépare son itinéraire sur une carte avec une boussole ; ensuite, j'ai pénétré dans le *Wyrd* en me glissant dans un chêne ; j'en suis sorti en traversant un rocher. C'est tout !

– C'est tout ? s'exclama Guillemot, interloqué, qui avait du mal à en croire ses oreilles. Mais comment peut-on voyager comme cela ? On est dans la forêt, et puis on frappe à la porte d'un arbre, il vous ouvre, on court sur un sentier, on ouvre une fenêtre dans un caillou et pouf, on se retrouve sur une plage ? C'est incroyable !

– Ce n'est pas si incroyable, Guillemot. C'est simplement épuisant, et puis cela exige une grande maîtrise de la magie, ainsi qu'une bonne connaissance du *Wyrd*. Tiens, d'ailleurs, tu vas me dire comment toi tu aurais fait !

– Moi, s'étonna l'Apprenti, mais comment ça ?

– Par exemple, comment aurais-tu fait s'ouvrir l'arbre et le rocher pour entrer et sortir dans le *Wyrd* ?

– Je… j'aurais…

– Réfléchis ! dit Qadehar d'une voix dure. J'attends.

– Heu… J'aurais, j'aurais appelé Raidhu ! Le chariot, le Graphème du Voyage !

– Et ensuite ? demanda le Sorcier dont le visage s'illuminait : pour calculer ta trajectoire et t'orienter dans le *Wyrd* ?

– J'aurais demandé l'aide de *Perthro*, le Graphème qui ressemble à un cornet à dés et qui est le guide dans le *Wyrd*, répondit Guillemot qui avait pris de l'assurance.

Il sentit la main du Sorcier se poser sur son épaule et la presser affectueusement.

– Bravo, bravo, mon garçon. Tu commences à comprendre beaucoup de choses ! Mais elles restent théoriques : la pratique est infiniment plus difficile, et dangereuse ! Récite l'ancien Poème de Sagesse des Apprentis Sorciers.

Guillemot s'exécuta :

– *Sais-tu comment il faut graver ? Sais-tu comment il faut interpréter ? Sais-tu comment il faut colorer les Graphèmes ? Sais-tu comment il faut éprouver ? Sais-tu comment il faut demander ? Sais-tu comment il faut sacrifier ? Sais-tu comment il faut offrir ? Sais-tu comment il faut projeter ? Mieux vaut ne pas demander que trop sacrifier : un don est toujours récompensé. Mieux vaut ne pas offrir que trop projeter…*

– Un jour, mon garçon, reprit Qadehar, tu comprendras pleinement le sens de ces phrases ! Pour l'heure, sache qu'il faut toujours, devant la sorcellerie, rester humble et prudent… Oui, tu veux poser une autre question ?

Guillemot s'agitait comme il avait l'habitude de le faire lorsqu'il brûlait d'interroger son Maître.

– Maître Qadehar, quelle était cette posture que vous avez prise contre l'ombre de Thomas, sur la plage ?

– Bonne question, petit ! C'était une *Stadha*, une position reproduisant la forme d'un Graphème pour lui donner plus de force si j'avais eu à l'appeler... Dans ce cas-là, épuisé par mon trajet dans le *Wyrd*, j'avais adopté la posture de *Naudhiz*, le Graphème de la Détresse, qui sert aussi bien à neutraliser les attaques magiques qu'à résister aux agressions physiques. Y a-t-il autre chose que tu souhaites savoir ?

– Non, Maître, répondit pensivement Guillemot, mesurant tout à coup la distance qui lui restait à parcourir sur la route de la sorcellerie.

– Alors laisse-moi. Aujourd'hui, je suis fatigué... Pas plus qu'on ne fait la guerre sans en souffrir lorsque l'on est Chevalier, on ne pratique la magie impunément quand on est Sorcier ! Allez va, mon garçon. Et à demain !

Guillemot ne se le fit pas dire deux fois, et prit en courant le chemin de Troïl.

Il retrouva chez lui ses amis, ravis de le voir arriver plus tôt que prévu. Dans leur enthousiasme, ils décidèrent de préparer un pique-nique pour le soir et d'aller passer la nuit à la belle étoile, sur la lande, autour d'un petit feu de veillée.

– Vous êtes sûrs que nous ne risquons rien avec les Korrigans ? demanda pour la cinquième fois Coralie qu'effrayaient toutes les histoires circulant à leur sujet.

– Absolument rien, lui répondit Romaric en bouclant son sac à dos. Dis-lui, Gontrand, moi j'en ai marre.

– À cette période de l'année, belle princesse, les Korrigans ne dansent qu'autour des menhirs et des dolmens : il suffit juste de choisir un endroit de la lande où il n'y en a pas ! De plus, ajouta-t-il, nous serons ce soir accompagnés par un farouche Chevalier et un puissant Sorcier !

– Ha, ha, ha… Très drôle ! lui lança Romaric. En attendant, qui portera le sac du repas, hein ? En tout cas pas un gringalet qui se plierait en deux au premier coup de vent !

– Ça suffit, les grincheux ! intervint Ambre en gagnant la porte de la cuisine.

Puis, frappant dans ses mains et contrefaisant la voix autoritaire d'un professeur, elle ordonna :

– Allez, mon groupe, on se dépêche !

Ils se jetèrent tous sur elle pour la faire taire.

La nuit tombait lentement.

Ils avaient marché longtemps avant de trouver l'endroit qui leur avait paru idéal, près d'un bosquet de frênes, au milieu de rochers bas rongés par les lichens. Ils avaient allumé un feu, mis les pommes de terre sous la cendre chaude, les saucisses piquées à l'extrémité de bâtons au-dessus des braises. Ils s'étaient régalés, tout en se racontant des histoires drôles qui leur avaient arraché d'inextinguibles fous rires. Puis ils avaient chanté ces vieilles chansons d'Ys, qui survivaient à chaque génération. Romaric et Coralie s'étaient ensuite plongés dans une conversation animée au sujet de l'ancien temps d'Ys, lui s'extasiant devant la bravoure des Chevaliers du

Vent, et elle devant les parures des femmes de l'époque représentées sur quelques tapisseries. Gontrand avait sorti sa cithare de son étui.

– Qu'est-ce qu'on est bien ! soupira Ambre, allongée sur le dos pour mieux profiter des notes mélancoliques que Gontrand tirait de son instrument.

– Dommage que la vie entière ne soit pas comme ce moment, renchérit Guillemot qui s'était allongé à côté d'elle et qui, les mains sous la nuque, laissait son regard se perdre parmi les étoiles.

L'obscurité cachait leurs visages et seuls leurs regards brillaient. « Oui, se dit Guillemot, surpris de se sentir troublé par la jeune fille, dommage que la vie ne soit pas tout entière comme ce moment ! »

15
L'attaque

– Qu'est-ce qu'on fait cet après-midi ? demanda Coralie à la cantonade.

Le temps était maussade et tous accusaient la fatigue des nuits trop courtes et des jours où ils se dépensaient sans compter. Vautrés sur le tapis de la chambre de Guillemot, ils avaient déjà laissé passer la matinée sans rien faire, et il aurait pu en être de même pour le reste de la journée s'ils n'avaient pas réagi.

– C'est vrai, quoi, continua-t-elle, pour une fois que l'on a Guillemot avec nous !

Qadehar, appelé d'urgence dans un monastère de la Guilde, avait dû s'absenter, et son élève profitait d'un après-midi de liberté imprévu.

– Et si on allait au cinéma ? proposa Gontrand.

– Bonne idée ! applaudit Ambre. Il passe quoi à Troïl, cette semaine ?

– Je crois que c'est un vieux film sur des machines qui remontent le temps, répondit Coralie.

– Bon, reprit la jeune fille, qui est pour ?

Les mains se levèrent l'une après l'autre, sans grand enthousiasme.

Mais comme ils ne savaient pas quoi faire et qu'ils

étaient bien partis pour perdre complètement leur temps, mieux valait sauter sur la première bonne idée !

– À quoi tu la veux ta glace, Ambre ? demanda Gontrand.

– Vanille, s'il te plaît !

– Et toi, Guillemot ? continua-t-il en tendant sa glace à Ambre.

– Même chose, merci !

– Tiens, tu vois, on a les mêmes goûts, Guillemot ! s'exclama la jeune fille, suffisamment fort pour que tout le monde l'entende. C'est un signe !

Les yeux verts du garçon lui lancèrent des éclairs, tandis que Gontrand et Romaric riaient sous cape. Guillemot avait pourtant cru, depuis leur nuit sur la lande, à une sorte de trêve entre Ambre et lui ! En effet, depuis quelques jours elle ne le provoquait plus à tout bout de champ, et c'était fort agréable… La paix semblait bel et bien terminée, et Guillemot soupira. Les filles n'avaient-elles donc rien de mieux à faire dans leur vie que de s'acharner sur les garçons ? D'énervement, il remua sur son siège.

– Chut ! fit quelqu'un dans la salle, ça commence !

La lumière s'éteignit. Le regard mauvais d'Agathe et le sourire moqueur d'Ambre vinrent hanter un moment les pensées de Guillemot. Puis il s'efforça de les chasser de son esprit pour profiter du film. Il était en train d'y parvenir, quand il sentit une main qui cherchait discrètement à prendre la sienne. Son cœur fit une embardée. C'était Ambre, à côté de lui. Pourquoi voulait-elle lui prendre la main ? Personne ne pouvait les voir : ce n'était donc pas pour l'embarrasser vis-à-vis des autres. Il y avait autre chose ! Est-ce que… est-ce que par hasard ? Est-ce qu'elle éprouverait vraiment des sentiments pour lui ? Son cœur s'accéléra. Que fallait-il faire ? Comme s'il ne remarquait rien ? Lui souffler d'arrêter ? Il essaya de retrouver son calme. Un futur Sorcier, lui ! Incapable de maîtriser une situation aussi gênante ! Il ne pouvait s'empêcher de rougir. Il aurait voulu bafouiller quelque chose. Mais elle se moquerait de lui. Que faire, que faire ? Heureusement, Ambre, lasse de le solliciter, avait reposé sa main sur son accoudoir. Guillemot poussa un soupir de soulagement.

– Tu crois que c'est possible de voyager dans le temps, comme dans le film ? demanda Romaric à son cousin.

La séance terminée, ils avaient décidé de rentrer à la maison en faisant un détour par la forêt, pour profiter du soleil enfin revenu qui offrait une jolie lumière en passant à travers les feuillages.

– Oui, ce doit être possible, répondit Guillemot. Je ne sais pas comment, mais en tout cas, pas avec une machine !

– C'est dingue de penser que dans le Monde Certain ils ne connaissent pas la magie ! s'exclama Romaric.

– Il y a des choses plus dingues encore, répondit Gontrand. Tiens, par exemple : ils n'ont pas de Chevaliers !

– Tu ne peux pas être sérieux cinq minutes, Gontrand ! le gronda Romaric dont la blondeur était accentuée par les rayons du soleil. Je ne sais pas si tu regardes souvent les infos, à la télé, mais ils sont en train de foutre leur monde en l'air.

– Papa dit toujours, glissa Ambre qui, à l'instar de Guillemot, faisait comme si rien ne s'était passé au cinéma, que le principal mérite d'Ys, c'est d'avoir choisi ce qu'il y a de meilleur dans le Monde Certain.

– Ouais, en tout cas, je ne leur envie pas leur air pollué et leur eau qui pue la Javel, continua Romaric. Mais j'avoue que j'aimerais bien monter dans une voiture ! Une Porsche ou une Ferrari !

– Et moi monter les marches du festival de Cannes ! ajouta Coralie en battant des paupières.

– Ça n'a rien à voir ! se fâcha Romaric.

– Et alors ? se vexa la fille.

– Chut ! interrompit soudain Guillemot. Vous n'avez pas entendu un bruit bizarre ?

Ils se figèrent. Ils étaient en pleine forêt, et autour d'eux la nature bruissait de ses bruits familiers : trilles d'oiseaux, souffle de vent agitant les feuilles, insectes vrombissant.

– Non, je n'ai rien entendu, répondit Romaric.

– C'est curieux, marmonna Guillemot. Il m'a pourtant semblé… Il y a un truc pas normal !

Il quitta le chemin et s'avança de quelques pas. Il scruta la futaie. Il était sûr d'avoir entendu un grognement, un grognement étouffé, sourd comme celui d'un ours. Pourtant, il n'y avait rien. Pas de bête en vue, même pas de buisson dans lequel elle aurait pu se dissimuler. Rien d'autre que des arbres, trop fins pour que l'on puisse se cacher derrière.

– Tu vois quelque chose, Guillemot ? chuchota Gontrand.

– Non, je…

Dans un tourbillon de feuilles, une créature colossale surgit de terre et se dressa devant Guillemot, provoquant un hurlement général de surprise et d'effroi.

C'était un Ork ! Un de ces horribles monstres du Monde Incertain dont l'Ombre se servait fréquemment dans ses armées.

Cousins des Gommons, les Orks en possédaient la stature, la puissance et la cruauté ; ils s'en différenciaient par une adaptation, non pas au milieu de la mer, mais à celui de la terre. Leurs cheveux, gris et raides, étaient maintenus serrés sur la nuque par une bande d'étoffe huileuse ; au milieu d'un visage rude et couvert de rides qui évoquait celui d'un lézard, luisaient deux petits yeux vifs de prédateur ; leur peau, épaisse et craquelée sous de grossiers vêtements de toile et de cuir, ressemblait à celle de l'éléphant ; et on devinait, à voir leurs membres anormalement longs, une exceptionnelle aptitude à la course.

L'Ork les avait attendus, embusqué à proximité du chemin dans un trou creusé à même le sol, recouvert de branchages. À présent, immobile, il tenait une massue et promenait son regard cruel sur les membres du groupe, plongé dans la stupeur.

– Siffle, siffle bon sang ! hurla tout à coup Romaric à l'intention de Gontrand qui avait fébrilement sorti le sifflet d'appel de sa poche et s'époumonait dedans.

– Mais je siffle, je siffle !

Qadehar n'apparaissait pas. Un vent de panique

s'empara du groupe, qui s'apprêta à prendre la fuite. C'est alors qu'un deuxième Ork se laissa tomber avec souplesse des branches d'un arbre où il se tenait caché, et coupa leur retraite.

Comme s'il n'avait attendu que l'intervention de son compère, l'Ork surgi de terre brandit son arme et, en grognant, s'élança sur Guillemot.

Il lui avait bien semblé, aussi, avoir entendu un grognement ! Guillemot prit ses jambes à son cou et louvoya au milieu des troncs d'arbres, espérant ainsi échapper à la créature du Monde Incertain. Il fallait aussi qu'il réfléchisse vite. Le deuxième Ork pourchassait ses amis en faisant tournoyer sa massue. Ils ne tiendraient pas longtemps face à de tels adversaires ! Son Maître, pour une raison ou pour une autre, ne se montrait pas. Et, cette fois encore, bien qu'il y ait un réel danger, *Thursaz* n'agissait pas de lui-même, spontanément, comme il l'avait fait contre le Gommon sur la plage.

Guillemot se baissa instinctivement et échappa de justesse à l'énorme main griffue qui tentait de l'attraper par les cheveux. Il essaya de courir encore plus vite.

– Ambre ! hurla Coralie. Ambre !

Comme Guillemot, Coralie essayait vainement de distancer l'Ork qui s'était lancé à sa poursuite lorsqu'ils s'étaient tous éparpillés. Malgré sa grande taille, il se déplaçait agilement et les branches que la jeune fille lâchait sur lui en traversant les taillis ne parvenaient pas à le ralentir. Lorsqu'elle s'en aperçut, Ambre se porta au secours de sa sœur.

– Ça suffit, pourriture ! cria-t-elle en lançant sur

l'Ork une poignée de terre qui l'aveugla un bref instant, suffisant toutefois pour que Coralie parvienne à prendre de la distance.

Le monstre hurla de rage et reporta son attention sur la fille intrépide. Romaric et Gontrand tentèrent à leur tour d'attirer l'Ork sur eux en l'invectivant et en lui jetant des morceaux de bois. Peine perdue : la créature furieuse s'acharnait sur Ambre, qui, de plus en plus essoufflée, mettait toute son énergie et son habileté à éviter les coups de massue qui pleuvaient autour d'elle…

Guillemot blêmit. Il fallait qu'il lui vienne en aide ! Il était le seul à pouvoir le faire contre ces monstres ! Heureusement, l'Ork qui le poursuivait, peut-être plus vieux que l'autre, se fatiguait, et l'Apprenti parvint à reprendre l'initiative. Il changea de direction pour se rapprocher de ses amis. En même temps, il s'efforça de se concentrer, et fit défiler les Graphèmes dans son esprit. Lorsqu'il en arriva à *Ingwaz*, le vingt-deuxième, celui-ci enfla légèrement. D'instinct, l'Apprenti Sorcier l'appela. Au même moment, il parvint à rejoindre Ambre, et les deux Orks se retrouvèrent à la même hauteur. Les monstres échangèrent un regard et stoppèrent leur course. Romaric, Gontrand, Coralie, Ambre et Guillemot firent de même et, haletants, essayèrent de reprendre leur souffle. Le temps resta un instant suspendu.

Puis, rugissant et brandissant de plus belle leur arme au-dessus de leur tête, les deux Orks attaquèrent ensemble la bande qui s'éparpilla de nouveau en hurlant.

Cette fois, Guillemot ne bougea pas. Il ferma les yeux. Il fallait qu'il se concentre, qu'il fasse le vide, qu'il oublie ces monstres de près de deux mètres de haut, aux dents pointues et aux armes menaçantes ! Ingwaz brilla dans la nuit de ses paupières fermées. Il adopta la Stadha, la posture du Graphème, ouvrit les yeux et cria, alors que les Orks arrivaient sur lui :

– *Ingwaaaaz !*

Le premier Ork s'arrêta net, comme s'il s'était pris les pieds dans un piège aux mâchoires redoutables. Brusquement prisonnier du sol, il eut beau rugir et s'agiter en tous sens, il lui était désormais impossible d'avancer ! Mais son comparse, lui, continuait de courir vers le garçon.

Guillemot s'affola. Le Graphème de Fixation n'avait fonctionné qu'à moitié ! Il était trop tard pour en évoquer un autre ; de toute façon, il savait qu'il n'aurait pas l'énergie nécessaire. La seule issue était de prendre la fuite ! C'est ce qu'il s'apprêtait à faire, quand une forme jaillit des arbres les plus proches et percuta l'Ork, au moment où celui-ci allait se jeter sur Guillemot.

– Thomas !

C'était bien Thomas qui était miraculeusement intervenu, et qui luttait de toutes ses forces contre le monstre ! Retrouvant ses esprits, Guillemot se saisit d'une branche et frappa l'Ork à plusieurs reprises, à chaque fois qu'il le pouvait sans blesser Thomas. Romaric, Ambre et Gontrand accoururent pour l'aider. Cependant, l'affrontement était inégal et déjà Thomas perdait du sang et faiblissait, mordu au bras. L'Ork se relevait, furieux, grognant, soulevant son jeune adversaire qu'il avait pris à la gorge, quand Qadehar surgit essoufflé par le chemin qu'il avait parcouru pour venir.

Lorsqu'il l'aperçut, le monstre resta interdit, poussa un cri de terreur, lâcha Thomas et tenta de fuir. Le Sorcier lança aussitôt sur lui le pouvoir d'Ingwaz, et l'Ork termina sa course, aux côtés de son compère, à griffer le sol d'impuissance.

Qadehar s'approcha de Thomas, qui gisait à terre, inanimé.

16
Le monastère de Gifdu

La monture – un énorme cheval gris – que Qadehar avait empruntée à l'oncle Urien suivait prudemment l'étroit sentier sinuant le long des gorges de Gifdu. Guillemot, assis en croupe derrière le Sorcier, contemplait le paysage saisissant. Ils étaient partis de Troïl à l'aube et le soir approchait maintenant. Le garçon rompit le silence qui s'était installé depuis qu'ils s'étaient remis en selle, après avoir déjeuné dans une auberge de bord de route, à la mi-journée :

– Maître, vous pensez que Thomas s'en sortira ?

– Rassure-toi, Guillemot. Il a été vilainement mordu par l'Ork, mais il est désormais tiré d'affaire. Si je n'étais pas arrivé à temps…

– C'est incroyable, Maître, que quelqu'un ait pu vous interdire l'accès au *Wyrd* pour nous rejoindre !

– Pas quelqu'un, mon garçon, l'Ombre ! Il semble en effet qu'elle ait considérablement accru ses pouvoirs, jusqu'à parvenir à m'empêcher tout accès au *Wyrd* durant une dizaine de minutes ! C'est la raison pour laquelle nous nous rendons à Gifdu, Guillemot : pour rapporter dans le détail les derniers événements à notre Grand Mage.

– Heureusement que vous arriviez à proximité de Troïl lorsque vous avez entendu le sifflet d'appel !

– Heureusement surtout, Guillemot, que je cours vite !

Ils s'engagèrent dans un passage encore plus étroit et escarpé.

Guillemot réfléchit à la nécessité pour un Sorcier de posséder une bonne condition physique. Au début, il était assez fier d'avoir tenu à distance l'Ork, dans la forêt. Puis il s'était rendu compte que sa course, en réalité, l'avait épuisé : lorsqu'il avait voulu appeler un deuxième Graphème, cela avait été au-dessus de ses forces, tout comme d'ailleurs de s'enfuir de nouveau ! Non, c'est bien à Thomas et à lui seul qu'il devait d'être encore en vie. Il parlerait à Romaric, dès son retour à Troïl : peut-être qu'ils pourraient faire de l'exercice ensemble.

– Au fait, félicitations pour ton sort de fixation, mon garçon, reprit Qadehar. Comment est-ce que tu en as eu l'idée ?

– Il s'est un peu imposé à moi, Maître. Pas de la même façon que *Thursaz*, sur la plage contre le Gommon, mais il est venu presque tout seul ! Dites, pourquoi *Ingwaz* n'a pas marché avec le second Ork ?

– *Ingwaz* est un Graphème sélectif, qui n'agit que sur une seule personne. Tu aurais dû l'invoquer deux fois pour arrêter tes deux agresseurs.

Guillemot se promit de ne pas l'oublier. S'il avait su ! Thomas n'aurait pas eu à risquer sa vie !

Les sabots du cheval firent rouler des pierres sur le chemin.

– Je peux vous demander quelque chose, Maître ?

– Ce n'est pas ce que tu fais depuis tout à l'heure ?

– Heu… si ! Je peux, Maître ?

– Vas-y, Guillemot, l'encouragea Qadehar.

– Sur la plage, la première fois, avec Agathe et Thomas… Agathe m'a dit que les Apprentis ne pouvaient pas lancer de sorts… Pourquoi j'y arrive, moi ?

Il y eut un temps de silence.

Le Sorcier finit par répondre, d'un ton laconique :

– Parce que tu es particulièrement doué, Guillemot.

Ils abordaient un passage difficile. Qadehar dut descendre pour guider le cheval. Lorsqu'il remonta, Guillemot le questionna de nouveau :

– Maître…

– Oui, mon garçon.

– Pourquoi les Orks avaient-ils peur de vous ?

Qadehar eut un petit rire.

– C'est que, depuis le temps que je m'y rends, je commence à être connu dans le Monde Incertain. Connu et… redouté !

– Maître, on a les mêmes pouvoirs dans le Monde Incertain qu'ici ?

– Oui et non, Guillemot. Le pouvoir des Graphèmes y est intact, mais ils se comportent différemment. Je ne peux pas t'expliquer cela plus clairement pour l'instant. Il est nécessaire de se faire sa propre expérience en la matière… Pour simplifier, retiens qu'effectivement nous autres Sorciers conservons et, parfois même, accroissons nos pouvoirs dans le Monde Incertain.

Guillemot ne trouva plus rien à dire. Ils restèrent silencieux jusqu'à leur arrivée au monastère de Gifdu, joyau de la Guilde, siège des hautes instances de la sorcellerie au Pays d'Ys.

Le monastère se dressait au sommet d'une éminence, au centre des gorges de Gifdu qui s'élargissaient en cet endroit avant de mourir contre l'abrupte Montagne aux Sorciers. Les murailles, grises et épaisses, épousaient si bien les formes du relief qu'on les aurait confondues avec le rocher si elles n'avaient été percées de centaines de fenêtres.

À cause du vent qui soufflait sans discontinuer à cet endroit des gorges, les toitures n'étaient constituées ni de chaume ni de tuiles, mais de larges pierres plates qui faisaient se fondre l'édifice dans le paysage désolé.

C'était la première fois que Guillemot apercevait le monastère autrement que dans des livres, et il en eut le souffle coupé. Troïl tout entier aurait pu tenir dans les murs du gigantesque bâtiment ! Qadehar vit la surprise de son élève.

– Alors, Guillemot ? Comment trouves-tu Gifdu ?

– C'est immense, Maître ! s'exclama le garçon. Combien de Sorciers y vivent ?

– Oh, très peu. Une quinzaine, peut-être. Mais l'essentiel n'est pas là : la majeure partie du monastère est constituée de bibliothèques et de salles d'étude. Les Sorciers qui y vivent ont pour tâche principale de s'en occuper. Le reste des bâtiments abrite des dortoirs et des réfectoires pour accueillir les membres de la Guilde venus étudier.

– On n'y apprend donc pas la magie ? demanda Guillemot avec une pointe de déception.

– La magie ne s'apprend nulle part, Guillemot, puisqu'elle s'enseigne partout ! Il suffit d'un Maître et d'un Apprenti. Mais plus tard, lorsque tu auras besoin de réponses à tes questions, c'est ici que tu pourras venir les chercher…

– C'est à Gifdu, Maître, que Yorwan a volé *Le Livre des Étoiles ?*

Le visage de Qadehar s'assombrit.

– Oui, c'est ici. Mais tu dois savoir qu'il vaut mieux éviter d'évoquer cet épisode dans le monastère. Il a laissé trop de mauvais souvenirs.

Guillemot se mordit les lèvres.

– Pardon, Maître.

– Pourquoi pardon ? Tu ne pouvais pas savoir. Maintenant tu sais.

Ils descendirent de cheval et, le tirant par la bride, ils grimpèrent le long d'un chemin plus large taillé dans la roche. Ils parvinrent bientôt devant l'unique accès visible du monastère : une grande porte de chêne, cloutée et renforcée avec des plaques de fer.

– Ouahhh ! fit Guillemot, admiratif. Elle doit être sacrément solide, cette porte !

– Plus que tu ne le crois ! répondit Qadehar. Mais sa véritable solidité réside d'abord dans les *Galdr*, les incantations, les associations de Graphèmes qui y sont gravées. Nous aurons l'occasion d'en reparler.

Le Sorcier agita la grosse cloche qui se trouvait à l'entrée.

Quelques minutes plus tard, un petit homme qui portait des lunettes, rondelet et presque chauve, vêtu comme Qadehar d'un grand manteau sombre, vint leur ouvrir. En découvrant les visiteurs, il eut un large sourire.

– Qadehar !

– Content de te revoir, Gérald. Il y a bien longtemps !

Les deux hommes se donnèrent l'accolade des Sorciers.

– Gérald, je te présente Guillemot, mon élève…

– Enchanté, si je peux me permettre, répondit malicieusement Gérald en serrant vigoureusement la main du jeune garçon.

– Guillemot, continua Qadehar, voici le Sorcier Gérald.

– C'est le portier ? demanda candidement le garçon, déçu que l'homme responsable d'une telle charge ne soit pas un colosse.

Les deux Sorciers rirent.

– Il n'y a pas de portier, ici, jeune Apprenti, expliqua Gérald. La porte de Gifdu se suffit à elle-même !

– Gérald est notre Sorcier informaticien, précisa Qadehar.

– Et j'espère bien te voir souvent dans la salle des ordinateurs pendant ton séjour, le prévint le petit homme. Sous prétexte que les Graphèmes sont plus amusants, les Apprentis négligent la magie des microprocesseurs !

Ils confièrent leur cheval à Gérald qui le conduirait aux écuries, et ils s'engagèrent dans un vaste couloir. Derrière eux, la porte se referma toute seule.

– Notre Grand Mage ne pourra pas nous recevoir avant demain. Allons donc nous promener dans le monastère !

Qadehar venait de rejoindre son élève dans la petite pièce qu'on leur avait donnée comme chambre dans l'aile sud, au troisième étage. Elle était simple et propre : deux lits, une table et deux chaises. Une porte donnait dans un coin sur une petite salle d'eau. Une fenêtre, enfin, munie d'un solide volet, offrait une vue époustouflante sur les gorges.

Ils sortirent de la chambre et s'engagèrent dans les interminables couloirs du monastère.

– Ici, ce sont les cuisines… Là, la bibliothèque d'Histoire… Ici, une salle de travail… Là, la pièce où se trouvent les ordinateurs de Gérald…

Ils franchirent des portes, traversèrent des salles, arpentèrent d'interminables déambulatoires. Tous les styles d'architecture étaient présents, du plus ancien au plus moderne, mais celui qui dominait était le médiéval, conférant à l'ensemble non seulement une unité mais également, avec ses pierres de taille, ses voûtes et ses ogives, une impression de sérénité. Guillemot ouvrait grand ses yeux et ses oreilles. Tout finissait par s'entremêler et se confondre, tant il y avait d'endroits à voir !

– Ici, le patio, le seul endroit du monastère où sont autorisées les conversations bruyantes… Là, la bibliothèque du Monde Incertain, qui contient toutes les informations dont nous disposons à son sujet… Ici, le gymnase…

– Un gymnase, Maître ?

– Bien sûr ! As-tu déjà oublié l'importance de l'exercice physique ?

Ils continuèrent la visite de l'imposant monastère,

Qadehar guidant Guillemot dans le labyrinthe des couloirs qui se ressemblaient tous, et la nuit s'annonça avant qu'ils en aient fait le tour. Ils se rendirent aux cuisines, où le Sorcier commanda un solide repas qu'il emporta sur un plateau jusqu'à leur chambre. Ils mangèrent de bon appétit, les yeux rivés sur l'étonnant spectacle des gorges peu à peu prises par la nuit.

– Tu continueras la visite de Gifdu tout seul. J'ai beaucoup de choses à faire, demain. Allons nous coucher, mon garçon.

– Bonne nuit, Maître Qadehar. Faites de beaux rêves !

– Toi aussi, Guillemot, toi aussi.

17
L'Apprenti joue au pirate

Guillemot était morose. Cela faisait presque deux semaines que Qadehar et lui étaient au monastère de Gifdu, haut lieu de la Guilde des Sorciers. Ils avaient déjà rencontré le Grand Mage à deux reprises, et le garçon avait dit au vieillard décharné tout ce qu'il savait. Il ne comprenait pas pourquoi son Maître prolongeait ainsi leur séjour… Le Gommon capturé sur la plage n'avait toujours pas parlé. Mais en quoi cela le concernait-il, lui ? Comme Romaric, Gontrand, Ambre et Coralie lui manquaient ! Il avait l'impression de les trahir, en restant loin d'eux ; et, surtout, de rater de bons moments ! Le visage d'Ambre lui revint à l'esprit sans qu'il fasse attention. Voilà qu'il en arrivait à regretter les moqueries de la fille la plus exaspérante d'Ys ! C'était bien le signe que sa solitude lui pesait vraiment. Il jeta un coup d'œil sur une Pierre Bavarde pour vérifier qu'il s'était engagé dans la bonne direction. Il pressa le pas dans l'escalier conduisant au rez-de-chaussée.

Qadehar le laissait seul la plus grande partie du temps. Il l'avait autorisé dès le premier jour – avec une voix curieusement ironique – à déambuler à sa guise dans les bâtiments. Guillemot était donc parti à la découverte du monastère. Bien entendu, comme tous les Apprentis qui séjournaient pour la première fois à Gifdu, il s'était perdu au tout début et avait dû appeler longtemps dans les couloirs, avant qu'un Sorcier vienne le chercher et le ramène à sa chambre !

À l'étonnement général, Guillemot, mis au défi par son Maître, avait compris en une seule journée ce que les nouveaux mettaient parfois une semaine à découvrir : à certains endroits des murs, des pierres gravées (que les Sorciers de Gifdu appelaient Pierres Bavardes) fournissaient des indications sur les directions à suivre ! Il ne lui avait fallu qu'un jour de plus pour déchiffrer les signes qui y figuraient. Il s'était alors livré à l'exploration du monastère, et il eut rapidement l'impression d'en avoir fait le tour.

Faute de la présence à Gifdu d'un autre Apprenti avec qui il aurait pu partager le plaisir de ses découvertes, Guillemot s'était mis ensuite à visiter avec assiduité les nombreuses salles de travail du monastère. De cette façon, outre Gérald dont il appréciait désormais l'humour grinçant, il avait fini par se lier d'amitié avec plusieurs Sorciers. Qadwan, le responsable du gymnase, était l'un d'eux. C'était un vieil homme solitaire, étonnamment souple et fort pour son âge, qu'il avait réussi à apprivoiser en lui racontant ses mésaventures avec les Orks.

Tous les matins, il aidait aussi Eugène, en charge de la poste du monastère, à trier les sacs de courrier arrivant à Gifdu des quatre coins du Pays d'Ys : simples citoyens, chefs de clan, parfois même Korrigans

(Guillemot reconnaissait leur écriture minuscule et alambiquée), nombreux étaient ceux qui sollicitaient les conseils ou l'arbitrage de la Guilde !

En retour, les Sorciers de Gifdu s'étaient attachés à Guillemot, riaient de ses blagues et s'amusaient aussi du sérieux avec lequel il promenait sa sacoche et son carnet d'Apprenti de bibliothèques en salles d'étude.

Le garçon apprenait beaucoup. Mais cette situation commençait quand même à lui peser véritablement. C'étaient ses vacances qu'il était en train de passer ici, loin de Troïl et de ses amis ! Il serait toujours temps de revenir à Gifdu plus tard, en octobre ou en novembre, pour les vacances de Samain.

En soupirant, il s'arrêta à la hauteur d'une Pierre Bavarde qui lui proposait trois destinations différentes. Il s'engagea dans un couloir mal éclairé pour se diriger vers la salle des ordinateurs.

Après avoir salué Gérald qui paraissait fort occupé par un travail de classement, il s'installa devant un écran libre. À cette heure de la journée – celle de la sieste ! – les hôtes de Gifdu étaient peu actifs ; d'autant que, depuis plusieurs jours, la chaleur était accablante, et la salle des ordinateurs n'était pas réputée pour être la plus fraîche ! Guillemot posa sa sacoche sur un coin de la table et mit la machine en route.

Il n'était pas exceptionnellement doué dans ce domaine, mais, comme la plupart des écoliers d'Ys, il maîtrisait suffisamment l'informatique pour passer le temps. Il commença par se promener dans le menu à la recherche d'un jeu. Comme il n'en trouvait pas, il lança une recherche plus poussée pour voir si le système de l'ordinateur n'en contenait pas un, que Gérald aurait volontairement mis hors de portée des Apprentis. Lorsque le moteur de recherche lui demanda le mot-clé indispensable pour son investigation, il tapa le mot « jeu ». La réponse lui parvint immédiatement : « introuvable ». Évidemment, cela aurait été trop simple. Il tapa « divertissement », avec le même résultat. Il essaya ensuite d'autres synonymes, puis différents noms de jeux qu'il aimait bien. Sans succès. Il allait renoncer lorsque, après avoir inscrit : « *Le Maître du Donjon* », un jeu qu'il affectionnait entre tous, le moteur de recherche le conduisit devant une austère page de présentation, sur fond de ciel étoilé, qui affichait simplement en belle écriture manuscrite : « mot de passe ».

– Ah ! cela devient intéressant, murmura Guillemot.

Suivaient douze symboles identiques réclamant chacun une lettre ou un chiffre ; soit un mot de passe d'une telle longueur que Guillemot n'aurait pas assez de toute une vie pour le trouver.

Cela lui sembla curieux qu'un simple jeu bénéficie d'une telle protection. Son excitation retomba, mais céda la place à une grande détermination.

– À nous deux, jeu mystérieux !

Il pianota sur son clavier pour essayer de contourner le mot de passe, mais rien n'y fit. Ses connaissances étaient trop limitées pour pirater le système. Il réfléchit. Tout à coup, il eut une idée ! Fébrilement, il ouvrit un logiciel de dessin. À l'aide de la souris, il dessina avec application une image copiée cent et cent fois pour son Maître : *Elhaz*, le Graphème du Cygne, débloquant les situations et ouvrant les verrous !

Ce travail accompli, il importa le dessin sur la page étoilée et le glissa sur l'emplacement du mot de passe. Puis il attendit. Rien ne se passa.

– Il doit manquer quelque chose, marmonna de nouveau Guillemot qui réfléchissait à toute allure.

Prenant une brusque inspiration, il brancha le micro de l'ordinateur et en activa le son. Puis il y colla ses lèvres et murmura :

– *Par le pouvoir de l'Aïeule et de l'Arc-en-Ciel, toi qui crépites quand tu brûles, Elhaz…*

Le Graphème sur l'écran se mit à briller, puis sembla s'évaporer en consumant les symboles du mot de passe. La page d'accueil tremblota puis disparut, cédant la place à un nouveau menu.

– Ouiiiiii !

Guillemot serra les poings en signe de victoire. De quel jeu s'agissait-il ? Il parcourut le menu : « Comptabilité du monastère », « Membres de la Guilde », « Amis et ennemis supposés de la Guilde », « Projet en cours »… La liste était longue. C'était à peine croyable, il était entré au cœur du système central ! Là où il n'avait certainement pas le droit d'aller. Il jeta un regard en direction de Gérald, mais celui-ci était toujours occupé à répertorier ses disques.

– Du calme, du calme. De toute façon, tes intentions ne sont pas mauvaises. Ton objectif n'est pas de nuire à la Guilde. Ce que tu as fait n'est donc pas si grave. Il te suffit simplement de quitter ce programme, d'éteindre ton ordinateur et de t'en aller calmement…

En même temps qu'il tâchait de se rassurer, Guillemot avait du mal à se désintéresser des dossiers qui lui étaient proposés, comme autant d'invitations à assouvir sa curiosité !

– « Plan de Gifdu ». Voyons, ce n'est sans doute pas un crime que d'aller jeter un coup d'œil là-dedans.

Il cliqua sur l'icône et le monastère lui apparut en trois dimensions. En promenant sa souris sur les endroits qui l'intriguaient, il vit apparaître un gros plan des lieux accompagné de commentaires. Dire qu'il avait cru avoir tout vu de l'endroit ! Gifdu était en réalité aussi étendu sous terre qu'il l'était en surface.

Guillemot aurait voulu aller partout ! Cependant, l'heure de la sieste était passée et quelques Sorciers commençaient déjà à investir la salle. L'Apprenti jugea plus sage d'en rester là.

Il demanda l'impression du plan général du monastère, hésita et finalement lança également celle de la liste des dossiers disponibles dans le programme. Il referma ensuite soigneusement tous les éléments qu'il avait ouverts et éteignit l'ordinateur. Il fourra les documents imprimés dans sa sacoche et quitta la salle en saluant de nouveau le petit homme rondouillard et occupé, qui se contenta de lui adresser un signe de la main.

18
La curiosité est parfois payante

Plusieurs jours encore avaient passé. Ce matin-là, Guillemot était resté dans son lit plus longtemps que d'habitude. Il aimait, parfois, rester couché et laisser ses pensées s'en aller en rêveries vagabondes. L'une d'elles les mettait en scène, Ambre et lui, sur la lande, près du feu ; elle lui demandait pardon pour toutes les méchancetés qu'elle lui avait faites ! Lui, magnanime, pardonnait à la jeune fille, et la prenait même dans ses bras, pour bien montrer qu'il ne lui en voulait pas… Rêvasser était agréable. Mais ce n'était finalement ni plus ni moins que tromper l'ennui, tout comme c'était pour tromper l'ennui qu'il avait investi l'ordinateur central, et qu'il errait du gymnase aux bibliothèques, des bibliothèques à la chambre.

Romaric, Gontrand, Coralie, Ambre lui manquaient.

Que faisaient-ils en ce moment ? Comment se déroulaient ces soirées à la belle étoile auxquelles il ne participait pas ? Il se dressa et sauta à bas du lit. Il fallait agir ! En parler avec Qadehar ! Le Sorcier était venu une première fois à son secours, chez le Prévost, pour sauver ses vacances : il le ferait certainement une deuxième fois ! Il prit sa sacoche de toile et partit à la recherche de son Maître dans le monastère.

Gérald, à qui il s'adressa, lui apprit que Qadehar se trouvait dans le bureau du Grand Mage, mais regretta de ne pouvoir lui en indiquer le chemin : les Apprentis n'y avaient pas accès. Comme son insistance ne faisait pas fléchir le Sorcier informaticien, Guillemot prit congé. Vérifiant qu'il était seul, il sortit de son sac le plan du monastère volé dans l'ordinateur qu'il n'avait pas pris encore le temps de consulter correctement. Il trouva sans peine, grâce aux indications précises données par les légendes, le bureau de Charfalaq, dans la tour nord, tout en haut d'un interminable escalier en colimaçon.

Il décida de s'y rendre, se collant contre le mur au moindre bruit, silencieux comme un chat.

Au fur et à mesure qu'il gravissait les marches de la tour qu'il avait atteinte sans encombre, le garçon se sentit devenir hésitant. En même temps qu'il se surprit à remettre en cause la justesse de sa démarche, il eut l'impression que sa volonté s'émiettait. Était-ce la peur d'approcher le Grand Mage ? Ou bien un *Galdr*, un sortilège ? Dans le doute, Guillemot appela doucement en lui *Naudhiz*, pour neutraliser un sort éventuel, et plus vigoureusement *Isaz*, le Graphème de Glace aidant à renforcer la volonté. Ce dernier brilla et le secoua intérieurement ; il sentit son énergie se condenser. Puis il reprit son ascension.

Guillemot parvint enfin devant la solide porte cloutée ouvrant sur les appartements du Grand Mage. Elle était restée entrouverte. Il s'apprêtait à frapper, quand il entendit les voix du Mage et de son Maître qui s'échappaient de l'intérieur. Il eut l'idée de tendre l'oreille :

– … états d'âme de votre Apprenti ne pèsent pas lourd dans la balance, mon cher Qadehar. Ce gamin restera ici le temps qu'il faudra. Un mois, un an si besoin ! J'en prends la responsabilité auprès du Prévost.

– Réfléchissez, Grand Mage, je reconnais que j'ai un peu sous-estimé le danger, mais…

– Un peu ? continua la voix éraillée. Le gosse a été à deux doigts d'être enlevé, et vous osez dire : un peu ?

Le Grand Mage eut une quinte de toux. Lorsqu'elle se fut calmée, il reprit :

– Non, il ne sera jamais autant en sécurité qu'à Gifdu. La discussion est close. Enfin, Qadehar, vous savez que l'Ombre convoite ce garçon, non ? Et vous voudriez le lui donner ?

– Non, non, bien sûr. C'est pour cela que nous l'avons pris sous notre aile si rapidement. Cependant, vous pensez réellement que l'Ombre viendra le chercher ici ?

– Elle le veut à tout prix, c'est certain. Ce qui nous a sauvés pour l'instant, c'est la bêtise des Gommons. Celui que nous avons fait parler nous a avoué qu'ils avaient été envoyés à Ys pour récupérer un enfant portant un soleil en pendentif. Je pense que cette indication était la seule qu'ils pouvaient comprendre ! Qui sait comment cette fille s'est retrouvée en sa possession ? En tout cas, cette confusion nous a laissé un répit, et le garçon est devenu notre principal atout contre l'Ombre. S'il reste ici, elle sera obligée de venir elle-même le prendre : car ni Gommon ni Ork ne se risqueront jamais à Gifdu !

– Votre raisonnement est juste, soupira Qadehar. Je crains seulement que ce ne soit pas du goût de Guillemot…

– Stupide ! C'est la meilleure chose qui puisse lui être offerte. N'a-t-il pas ici les plus grandes bibliothèques d'Ys à sa disposition ? Les gens les plus savants ?

– Vous ne vous rappelez plus ce que c'est que d'être un enfant, Grand Mage. À cet âge, on ne raisonne pas comme un adulte. Et c'est d'autant plus vrai quand on s'appelle Guillemot.

– Absurde. Vous vous inquiétez pour votre élève, alors que l'on ne comprend toujours pas comment l'Ombre parvient à envoyer ses monstres où bon lui semble, en se moquant bien de la Porte !

Les voix se rapprochèrent. Guillemot n'attendit pas davantage. Il fit demi-tour et dévala l'escalier le plus silencieusement qu'il put.

Qu'est-ce que cela signifiait ? Finalement, le Gommon avait parlé et la Guilde n'en avait même pas informé le Prévost ! Le Pays d'Ys était en péril, l'Ombre voulait l'enlever, lui Guillemot, pour des raisons obscures, et, par sa faute, Agathe croupissait quelque part dans le Pays Incertain… En outre, il était retenu prisonnier dans le monastère, il l'avait entendu de la bouche même de Charfalaq ! Pour sa sécurité ou tout ce que l'on voudrait : n'empêche qu'il était bel et bien captif. Guillemot ne put retenir ses larmes. Et son Maître n'avait rien pu faire… Son cœur se serra davantage. À cause de sa gentillesse, pour lui avoir laissé sa liberté à Troïl, Qadehar avait été désavoué, et cet horrible vieillard avait même osé le réprimander ! Cette affaire allait décidément un peu trop loin. Le sentiment que tout le monde, autour de lui, lui mentait le remplit d'amertume. Il y avait maintenant deux façons possibles de réagir : faire ce qu'on lui disait et ce qu'on attendait de lui, comme un petit garçon bien sage ; ou bien désobéir et suivre son intuition.

Guillemot passa sans s'arrêter devant la bibliothèque de la Nature. Il gravit quatre à quatre les marches conduisant au pigeonnier du monastère. On le traitait en captif ? Il réagirait en captif !

Il s'approcha sans bruit de la vaste pièce carrée qui bruissait des battements d'ailes et du roucoulement de centaines de pigeons acheminant partout dans le pays la correspondance secrète de la Guilde. Le Sorcier Eugène lui avait expliqué le fonctionnement du système, un jour où il l'aidait à trier le courrier…

Par chance, la pièce était déserte !

Guillemot s'approcha du bureau du Sorcier, rédigea rapidement un message sur le papier spécial ultraléger et le glissa dans un petit tube de métal qu'il scella avec de la cire bleue. Il y joignit une étiquette sur laquelle il inscrivit : « Romaric de Troïl, chez Alicia de Troïl ».

Sans cesser de surveiller le couloir, il attrapa l'oiseau qui occupait la niche portant le nom de « Troïl », le caressa et fixa tube et étiquette à sa patte. Enfin, il s'approcha de la fenêtre et lança le pigeon dans le vide. Là-bas, au pigeonnier de Troïl, quelqu'un réceptionnerait le message frappé du sceau confidentiel de la Guilde et irait, sans poser de question, le porter en main propre à son cousin.

L'oiseau déploya ses ailes et ne fut bientôt plus qu'un point dans le ciel.

19
L'évasion

Quelques jours s'étaient écoulés depuis que Guillemot avait pénétré dans le pigeonnier du monastère. Personne ne semblait s'en être aperçu, et pour lui la vie continuait à Gifdu comme elle avait commencé. Qadehar n'avait toujours pas trouvé le courage d'annoncer à son élève la décision du Grand Mage le concernant. Parce qu'il avait à faire quelque part, ou alors pour échapper aux regards du garçon, il s'absentait toute la journée et ne regagnait la petite chambre que fort tard. Guillemot, lui, occupait son temps à fouiner dans les différentes bibliothèques du monastère, à la recherche d'informations mystérieuses qu'il relevait dans son carnet avec des airs de conspirateur. Il fréquentait toujours assidûment le gymnase, et Qadwan lui avait enseigné la Salutation au Jour qui consistait en une série d'exercices à faire tous les matins au réveil. Il l'entraînait aux mouvements de base du Quwatin, l'antique art martial d'Ys.

Des Apprentis étaient arrivés au monastère accompagnant leurs Maîtres, mais Guillemot s'était contenté de les saluer de loin. Peu lui importait que ces garçons prissent sa distance pour de la suffisance : il n'avait pas le cœur à se faire de nouveaux amis. Ceux qu'il possédait semblaient l'avoir oublié, et les certitudes qui avaient accompagné son geste dans le pigeonnier s'étaient émoussées depuis. Il se demandait même comment il avait pu croire que ses amis abandonneraient leur vie agréable et insouciante à Troïl pour venir jusqu'à Gifdu et l'aider dans sa folle entreprise !

L'idée que Romaric et les autres aient pu le laisser à son triste sort le remplit de colère ; il la fit passer en fabriquant avec du papier mâché une fausse Pierre Bavarde, qui envoya les novices se perdre dans les buanderies du sous-sol ! Après tout, pourquoi aurait-il été le seul à voir ses vacances gâchées ? Son mauvais tour déclencha contre lui les foudres de l'Intendant général de Gifdu, un grand Sorcier barbu et sévère, mais il ne lui valut qu'une privation de dessert, qu'il contourna d'ailleurs grâce à la complicité de Gérald !

Ce matin-là encore, Guillemot s'étira paresseusement dans son lit. Un coup d'œil à sa droite lui apprit que Qadehar était déjà parti. Il soupira : une nouvelle journée loin de Troïl... Il se leva, passa dans la salle de bains.

Il se frictionnait avec sa serviette lorsqu'il entendit un choc sourd, dans la chambre : comme un bruit de pierre tombant sur un plancher. Il se précipita à la lucarne de la salle de bains. Il aperçut, au pied du monastère, mal dissimulés au milieu des rochers, Romaric, Gontrand, Ambre et Coralie ! Ils lançaient des cailloux en direction de la fenêtre de la chambre qui était restée ouverte et à l'extérieur de laquelle pendait un mouchoir rouge.

Qu'il avait donc été bête ! Ils avaient répondu à son appel ! Comment avait-il pu imaginer que ses amis ne viendraient pas ? Lui-même, n'aurait-il pas soulevé des montagnes pour un seul d'entre eux ? Il faillit se mettre à pleurer, tant il s'en voulait d'avoir douté de leur loyauté !

Un autre caillou vint heurter le plancher.

Il s'habilla précipitamment, prit sa sacoche d'Apprenti ainsi qu'un volumineux sac à dos qu'il mit sur ses épaules. Il récupéra sous son matelas une corde qu'il avait dérobée dans un placard du gymnase et la fixa solidement au crochet du volet. Puis il enjamba la fenêtre, sous le regard inquiet de la petite bande. Il vacilla légèrement et commença à descendre, avec des gestes mal assurés. Il avait passé la corde dans son dos et autour de sa cuisse et progressait tant bien que mal, assis dans le vide, les pieds à plat contre la muraille. À plusieurs reprises, Ambre, Coralie, Gontrand et Romaric hésitèrent à l'encourager : Guillemot s'évadait, mieux valait sans doute ne pas attirer l'attention ! Le vent, qui soufflait par rafales, obligeait l'Apprenti à écarter largement les jambes pour conserver son équilibre. Heureusement, les pierres étaient sèches et lisses, elles offraient une bonne adhérence à ses semelles ! Il commit cependant l'erreur de regarder en bas, et dut s'arrêter un long moment, pris de vertige. Les yeux fermés, il reprit courage et maîtrisa le tremblement de ses muscles. Puis il reprit son interminable descente. Vu d'en bas, Gifdu paraissait imposant, mais d'où il se trouvait, c'était autrement impressionnant ! Les frottements de la corde le brûlaient ; il serra les dents et finit par toucher le sol, au grand soulagement de ses amis.

– Vite, ne traînons pas ! leur lança Guillemot d'une voix blanche après les avoir rejoints.

L'Apprenti avait les jambes en coton. Il n'était cependant pas question de rester à découvert. Romaric le soutint par le bras et ils coururent en direction des gorges, s'arrêtant pour souffler derrière un gros rocher, hors de vue du monastère.

– Ouf ! haleta l'évadé, j'ai cru que je n'y arriverais jamais… Quelle galère !

– La galère, ça a été pour venir jusqu'ici ! objecta Gontrand.

– Oui, c'est vraiment le bout du monde ! renchérit Coralie.

– Vous avez bien reçu mon message, alors ? s'enquit Guillemot qui reprenait peu à peu son souffle.

– Ben tiens ! bougonna Romaric. Comment est-ce qu'on serait là, sinon ?

– Cette surprise, quand on a vu le maître du pigeonnier se diriger vers Romaric et lui tendre un message de la Guilde ! s'exclama Coralie. On a d'abord cru qu'on t'avait enlevé.

– C'était un peu ça, commenta ironiquement Guillemot.

– Et je ne te dis pas quand on a lu le message ! continua la jolie brune : « Retenu prisonnier dans le monastère de Gifdu. Venez me tirer de là. Je mettrai un mouchoir rouge à la fenêtre de ma chambre. Pensez à prendre des provisions… »

– Vous y avez pensé, au moins ? s'enquit Guillemot.

– Ne t'inquiète pas, le rassura Ambre, on a caché les affaires un peu plus bas dans les gorges. Désolée pour le retard, mais il a fallu qu'on invente une histoire pour ta mère et qu'on se prépare…

– Il a fallu trouver ce fichu monastère, aussi ! intervint Gontrand. Ces Sorciers sont vraiment tordus pour aller s'installer dans des coins comme celui-là !

– Et ce monastère de Gifdu, alors ? demanda Coralie, les yeux brillants de curiosité. C'est quand même l'un des endroits les plus mystérieux d'Ys ! Raconte-nous !

– Oui, raconte, Guillemot !

– Doucement, doucement… Vous oubliez que, tout évadé que je suis, je reste toujours tenu par le secret des Apprentis ! Il vaut mieux ne pas s'attarder : Qadehar ne se rendra compte de ma disparition que ce soir. Il faut gagner du temps.

– Est-ce que l'on peut au moins savoir où nous allons ? grogna Romaric.

– Vous le saurez bien assez tôt… En route !

Tous les cinq se faufilèrent sur l'étroit chemin des gorges de Gifdu.

Ils atteignirent Dashtikazar alors que le soir s'annonçait. Un homme avait eu la gentillesse de les prendre dans sa carriole au sortir des gorges, et un autre les avait conduits à proximité de la capitale. Durant l'été, personne à Ys ne s'étonnait de la présence de bandes de gamins en vadrouille sur les routes : n'était-ce pas la période des grandes vacances ?

– Et maintenant, on va où ? interrogea Romaric qui

acceptait de plus en plus mal de ne pas être tenu au courant par Guillemot de ses projets.

– Aux Portes des Deux Mondes, lâcha l'Apprenti d'une voix tranquille.

Tout le monde se figea.

– Aux… aux Portes des Deux Mondes ? s'exclama Coralie, les yeux écarquillés.

– Tu es devenu fou ? s'inquiéta Romaric en dévisageant son cousin comme s'il s'était agi d'une autre personne.

– Du calme, du calme ! intervint Gontrand. Et si tu nous disais plutôt pour quoi faire ?

Guillemot réfléchit puis acquiesça.

– D'accord. Pour ne rien vous cacher, j'ai l'intention de me rendre dans le Monde Incertain !

– Ça y est, gémit Romaric, j'en étais sûr : il est devenu fou !

– Écoutez-moi, expliqua Guillemot. J'ai eu le temps de réfléchir, à Gifdu. Je n'ai pas l'intention de rester prisonnier toute ma vie dans ce monastère ! J'ai appris des choses atroces là-bas, des choses qu'on voulait me cacher. C'est au sujet de l'Ombre, et puis d'Agathe.

– Agathe ? s'étonna Gontrand. Je croyais que tu étais fou de joie d'en être débarrassé !

– Je sais bien que ça peut vous paraître dingue, poursuivit Guillemot, mais l'Ombre me veut moi ! C'est moi aussi que le Gommon voulait sur la plage ! Agathe a été enlevée à ma place. C'est ma faute si elle est prisonnière dans le Monde Incertain. Il faut que je fasse quelque chose pour la sauver ! Mais je ne vous demande pas de comprendre, juste de m'aider.

– Qu'est-ce que tu attends de nous ? demanda Coralie.

– Que vous observiez bien tout ce que je ferai, pour que, si ça rate, vous alliez tout expliquer à Qadehar… En lui demandant de me pardonner de lui avoir désobéi.

– Et comment tu t'approcheras des Portes, hein ? tenta encore de s'opposer Romaric. C'est impossible, il y a des Chevaliers qui la gardent en permanence !

– J'ai confiance en ma magie.

– Et comment est-ce que tu l'ouvriras ? Tu n'es qu'un petit Apprenti, pas un Mage, et même pas un Sorcier !

– J'ai confiance en ma magie, répéta Guillemot.

Ambre, silencieuse jusqu'à présent, s'approcha du garçon et planta son regard dans le sien.

– Tu n'iras nulle part tout seul, Guillemot. Soit on est du voyage, soit on te ramène pieds et poings liés à Gifdu.

– Tu es folle ? s'étonna Guillemot.

– Non, elle a raison, dit à son tour Romaric qui ne savait pas encore comment il devait prendre toute cette histoire mais qui, pour rien au monde, n'aurait raté l'occasion d'un peu d'action. N'est-ce pas, Gontrand ? Coralie ?

– On est avec toi, confirma Gontrand. Tu as assez lâché tes amis comme ça !

– Vous êtes sûrs qu'on ne risque rien ? s'inquiéta Coralie.

– Aurais-tu oublié, princesse ? Nous voyageons en compagnie d'un Chevalier farouche et d'un Sorcier puissant !

Ils se moquèrent de la mine déconfite de la jeune fille puis, formant un cercle, ils joignirent leurs mains en les posant les unes sur les autres, comme ils l'avaient vu faire à ceux qui se juraient : « Tous pour un et un pour tous ! »

– C'est extraordinaire ce que vous faites, dit Guillemot, ému.

– Bah ! répondit Romaric en lui adressant un clin d'œil. À la vie à la mort, pas vrai ?

– N'empêche, répéta l'Apprenti, c'était déjà formidable d'être venus me chercher à Gifdu. Vous n'étiez pas obligés d'en faire plus.

– Personnellement, railla Ambre, je suis curieuse de te voir jouer le sauveur avec cette mijaurée d'Agathe de Balangru ! Je dois même dire que, pour rien au monde, je ne voudrais rater ça !

Ils laissèrent la ville sur leur droite et, ensemble, prirent la direction de la colline où se dressaient les Portes des Deux Mondes.

20
La Porte du Deuxième Monde

Les Portes des Deux Mondes ressemblaient vraiment à des portes ! Très hautes et larges, en bois de chêne sur lequel étaient gravées des centaines de Graphèmes, rien ne les différenciait de celle que Guillemot avait franchie pour pénétrer à l'intérieur du monastère de Gifdu, si ce n'est qu'elles étaient si anciennes que personne ne savait quand elles avaient été construites, et qu'elles ne s'ouvraient sur aucun bâtiment.

En effet, d'un côté comme de l'autre, il n'y avait rien. Les Portes étaient plantées là, toutes seules, sur une colline pelée au pied de laquelle se dressait un campement de la Confrérie des Chevaliers du Vent. D'ordinaire, deux gardes seulement étaient affectés à la surveillance du lieu. Mais, avec les récentes incursions de l'Ombre au Pays d'Ys, ils étaient à présent dix Chevaliers à jouer les sentinelles vigilantes !

C'est ce que la bande constata en arrivant en vue de la colline.

– Les ennuis commencent ! s'exclama d'une voix étouffée Gontrand, caché en compagnie de ses amis derrière un gros rocher. Qu'est-ce qu'on fait maintenant, Guillemot ?

– Ce qui était prévu, répondit tranquillement celui-ci. Il suffit d'attendre qu'ils soient tous regroupés.

– Tu vas les tuer ? demanda Coralie avec inquiétude.

– Oui, c'est ça, ironisa Romaric, il va pousser un grand cri, se jeter sur eux et les abattre un par un avec ses petites mains !

– Remarque, poursuivit Gontrand sur le même ton, avec l'effet de surprise…

– Ce n'est pas gentil de vous moquer de moi, se vexa Coralie.

– Tu n'as qu'à arrêter de dire n'importe quoi, lui lança sèchement sa sœur.

– Du calme, dit Guillemot, vous faites trop de bruit. Non, bien sûr que je ne vais pas les tuer. Je vais juste leur lancer un sort.

Son intervention ramena le silence et tous attendirent sans bouger.

Romaric se demanda avec curiosité ce que son cousin allait faire.

– Dis, Guillemot, questionna Romaric, une fois que l'on sera là où l'on sera, je veux dire dans le Monde Incertain : qu'est-ce qui se passera ?

– On accomplira notre mission, tout simplement.

– Notre mission ? Quelle mission ? fit Coralie en fronçant les sourcils.

– Eh bien arracher Agathe des griffes de l'Ombre, mettre une fessée aux vilains Gommons qui l'ont enlevée et arracher les poils de nez des méchants Orks qui nous ont attaqués, lui envoya Ambre en haussant les épaules.

– Tu n'es pas drôle, lui répondit Coralie, les lèvres

pincées. Je voulais juste savoir quel allait être le programme.

– Le programme, lança Guillemot en fouillant dans le sac à dos qu'il transportait mystérieusement depuis Gifdu, sera d'abord de se déguiser. Sinon, on ne fera pas cinquante mètres sans avoir des ennuis.

Le garçon jeta sur le sol un paquet de vêtements enfermés dans le plastique végétal que l'on utilisait à Ys et déchira l'emballage.

– Ce sont des manteaux d'excellente qualité, et qui valent cher là où nous allons aller, expliqua l'Apprenti à ses amis qui le regardaient en ouvrant des yeux ronds. Ils sont portés par les Petits Hommes de Virdu, qui sont les banquiers du Monde Incertain. Leur ville, Virdu, se trouve tout près de montagnes riches en pierres précieuses. Ils ont ouvert des mines, il y a très longtemps. Ces pierres servent de monnaie là-bas. Attendez, vous comprendrez mieux.

Guillemot fouilla dans sa sacoche d'Apprenti Sorcier, en tira une bourse de cuir, et une carte qu'il mit sous les yeux des quatre autres.

– Et voilà, annonça-t-il fièrement avant de promener son doigt sur le papier : une carte du Monde Incertain ! Ça m'a pris un après-midi pour la recopier sans qu'on me voie, à Gifdu ! Voilà Virdu. Nous, on devrait arriver ici, sur une des Îles du Milieu, où il est écrit « Porte du Monde ». Pour le reste, j'en sais à peu près autant que vous.

Puis il ouvrit la bourse de cuir, dans laquelle scintillaient une trentaine de pierres précieuses.

– Voilà notre argent de poche pour le voyage, généreusement accordé par la Guilde ! Nous ne sommes pas si riches, c'est pour ça que j'ai pris tous ces manteaux : pour les vendre, en cas de besoin.

– On t'a vraiment donné ces pierres précieuses ? s'étonna Gontrand en jouant avec un diamant.

– Heu, pas vraiment, grimaça Guillemot. Disons qu'il s'agit plutôt d'un emprunt. On va se les partager, ce sera plus sûr.

L'Apprenti Sorcier procéda à la distribution.

Ils portèrent ensuite leur attention sur les six vêtements posés sur le sol.

– Pourquoi se déguiser en Petits Bonshommes du Virdu ? demanda Coralie dubitative en contemplant le manteau gris, long et souple.

– En Petits Hommes de Virdu, corrigea Guillemot. Pourquoi ? D'abord, parce que les gens du Monde Incertain les craignent et les méprisent, et donc les laissent tranquilles ; cela fera bien notre affaire ! Ensuite, parce qu'ils sont de petite taille, ce qui nous correspond. Enfin, parce que c'est le seul costume du Monde Incertain que j'ai trouvé dans les entrepôts de Gifdu… Tenez, prenez chacun un manteau.

– Et quelle langue on sera censés parler ? demanda Ambre en mettant le sien.

– Le ska, bien sûr, comme tout le monde là-bas. J'espère que vous n'avez pas séché les cours de ska.

– Non, ça devrait aller, le rassura Ambre que les arguments de Guillemot semblaient avoir convaincue. Dis donc, tu en sais des choses sur le Monde Incertain !

– J'ai eu le temps, à Gifdu, de lire presque tous les bouquins qui en parlent !

– Bon, et dans l'immédiat, quelles sont les réjouissances ? lança à la cantonade Romaric, énervé de rester sans rien faire.

– On pourrait peut-être manger un peu, proposa Coralie.

– Bonne idée, sœurette, approuva Ambre. Mais il faudra se rationner : on avait prévu des provisions seulement pour Guillemot, et on est cinq.

– On va se répartir la nourriture, annonça l'Apprenti en rangeant dans son sac à dos le manteau en trop. Ensuite, je vous conseille de tous recopier ma carte du Monde Incertain, au cas où je la perdrais ! De toute façon, on a le temps : il faut attendre le soir, pour les Chevaliers.

Ils grignotèrent plus qu'ils ne mangèrent, blottis dans leurs confortables manteaux de Petits Hommes de Virdu.

Guillemot mâchonnait en regardant le ciel. Il songeait à l'aventure dans laquelle il s'engageait, et dans laquelle il entraînait ses amis. Quelle inconscience ! Ou plutôt non : quelle audace ! Il ne se reconnaissait plus. Qu'avait-il aujourd'hui de commun avec le Guillemot d'avant ? Il se sentait fort. Très fort. Une pensée se glissa dans son esprit : et si les Graphèmes, qu'il appelait régulièrement en lui, le transformaient peu à peu, sans qu'il s'en rende compte ?

Un mouvement à ses côtés le détourna de ses réflexions.

– Mon cher cousin, chuchota Romaric à son oreille, maintenant, avoue-moi tout.

– T'avouer tout ? répondit sur le même ton de confidence un Guillemot, interdit. Mais t'avouer quoi ?

– Eh bien, je ne sais pas, que tu es en réalité en mission secrète pour la Guilde, pour le Prévost, pour qui tu voudras ! Mais avoue-moi que tu sais quelque chose que nous ne savons pas !

– Franchement, Romaric, je ne comprends pas. Je ne suis en mission pour personne ! Ni pour la Guilde ni pour le Prévost ! Je vous ai dit la stricte vérité, tout à l'heure : c'est mon idée, à moi et à moi seul, de partir dans le Monde Incertain.

– Mon cousin est en plein délire ! gémit Romaric qui réalisait qu'il n'avait jamais été question d'un jeu. Mais alors, si tu dis vrai, on est foutus !

– Qu'est-ce qui t'arrive ? s'étonna Gontrand qui s'était approché à son tour, suivi des deux filles. Fais moins de bruit, ou bien les Chevaliers vont nous repérer !

– On est des morts en sursis ! annonça Romaric. Vous ne vous rendez pas compte ? Youhou ! Atterrissez ! On est cinq morveux, conduits par un gringalet qui joue les Sorciers, et qui veut nous entraîner dans le pire des mondes possibles...

– Monsieur le farouche Chevalier, continua Ambre avec un regard féroce, va-t-il se mettre à pleurer comme une fille ?

– Arrêtez, arrêtez, s'il vous plaît ! implora Guillemot. Que les choses soient claires, une bonne fois pour toutes : je ne vous force pas à m'accompagner ! Il est encore temps pour vous de renoncer. Mais moi, j'ai commencé et j'irai jusqu'au bout !

– Bravo ! approuva Ambre en tapant sur l'épaule de Guillemot à la façon d'Urien de Troïl. Ça, c'est parler en homme !

– Ma sœur, un peu de retenue, renchérit Coralie, c'est un puissant Sorcier que tu es en train de frapper en ce moment.

– Bon, ils sont tous fous, constata Romaric.

– Cela dit, Guillemot, lança Gontrand, il faut bien avouer qu'on part un peu au hasard.

– Attendez, intervint Coralie. On n'est pas encore partis ! Il faut d'abord que Guillemot arrive à ouvrir la Porte.

– Pas de problème, répondit celui-ci, en se frottant l'épaule. Je suis sûr de ma formule.

– Tu l'as déjà essayée ? s'inquiéta Coralie.

– Non, mais tout est très clair dans mon esprit.

– Dans son esprit… Alors tout va bien, on est sauvés, soupira Romaric avec un tel dépit qu'ils ne purent s'empêcher de rire.

21
Le passage

Plus tard, à l'approche de la nuit, les Chevaliers se rassemblèrent près de leurs tentes pour prendre le repas du soir. Le moment sembla favorable à Guillemot qui se redressa. Il vérifia que le vent soufflait toujours en direction du campement, puis ferma les yeux et se concentra. Il appela à lui *Dagaz*, le Graphème en forme de sablier, capable lorsqu'il était correctement évoqué de modeler, voire de suspendre le temps.

Guillemot avait appris de son Maître, à Gifdu, au cours de l'un des rares moments qu'ils passaient encore ensemble, que tous les Graphèmes ne s'appelaient pas en hurlant, et que souvent un même Graphème, selon qu'il était crié ou murmuré, ne remplissait pas les mêmes fonctions.

Lorsque *Dagaz* se fut bien installé en lui, Guillemot le chuchota dans le vent, qui le transporta jusqu'au camp des Chevaliers :

– *Daaaagaaz*...

L'effet ne fut pas immédiat mais s'avéra, en fin de

compte, spectaculaire. Les Chevaliers continuèrent un moment à s'activer, entretenant le feu, nettoyant leurs armes, remuant le brouet dans la marmite. Puis progressivement leurs gestes se ralentirent, comme si ces robustes guerriers en armure avaient été frappés d'engourdissement ; rien cependant dans leur visage ne trahissait une quelconque panique ; on aurait dit qu'ils ne se rendaient compte de rien !

Finalement, ils se figèrent totalement, se pétrifièrent, à la façon des hommes qui avaient été surpris dans leurs occupations par les cendres chaudes d'une éruption volcanique.

La petite bande poussa des exclamations. Ce n'était pas la première fois qu'ils voyaient Guillemot faire de la magie ; l'Apprenti avait déjà, sous leurs yeux, cloué un Ork au sol, dans la forêt de Troïl. Mais ce sortilège-là était vraiment plus impressionnant !

– Ben ça alors ! lâcha Romaric, éberlué.

– Incroyable… trouva seulement à dire Gontrand.

Ambre, manifestement surprise elle aussi, dévisagea avec curiosité le lanceur de Graphèmes. Il tenta de se donner une contenance ; mais il avait beau réaliser des progrès remarquables dans la pratique de la sorcellerie, ne pas rougir sous le regard admiratif de ses amis était un problème autrement plus compliqué !

– Tu les as changés en statues ? demanda Coralie qui ne parvenait pas à détacher ses yeux des silhouettes immobiles, en contrebas.

– Non… Ils continuent à bouger, mais tellement lentement qu'on a l'impression qu'ils restent immobiles ! Le temps se déroule en ce moment différemment pour eux que pour nous. Comme ça, on pourra passer devant eux sans qu'ils nous voient. On sera beaucoup trop rapides pour leurs yeux…

– Eh ben, mon vieux, siffla Romaric, je dois dire que là, tu m'épates !

– Oui, heu… merci… enfin, ne perdons pas de temps, la nuit tombe.

Ils traversèrent rapidement le camp des Chevaliers, frissonnant sous le regard vide des hommes pétrifiés. Coralie s'arrêta un moment pour observer attentivement un capitaine à la barbe hirsute qui affûtait son épée ; Romaric vint la tirer par le bras.

– Attends une minute ! Mais… c'est vrai qu'ils bougent ! s'exclama la jeune fille. Regarde, Romaric : si je dépose ce petit caillou comme ceci sur l'épée, tout près de la pierre à aiguiser, il va finir par le faire tomber… Là ! Tu as vu ?

– Oui, j'ai vu, j'ai vu, lui accorda Romaric qui se sentait mal à l'aise au milieu de ces fiers guerriers neutralisés en quelques minutes par un petit Apprenti Sorcier de rien du tout. Allez, filons rejoindre les autres : ils sont déjà devant les Portes !

Coralie, qui n'avait pas envie de rester toute seule, accepta de mauvaise grâce d'interrompre ses expériences. Ils se hâtèrent pour rejoindre leurs amis.

– C'est laquelle ? demanda Gontrand en essayant de lire les signes gravés sur le bois.

– Celle-là, fit Guillemot sans hésiter en désignant la Porte de droite, après avoir jeté un coup d'œil sur les Graphèmes qui y étaient inscrits.

– Tu es sûr ? demanda Coralie. Parce que je ne tiens pas à me retrouver dans le Monde Certain !

– Pourquoi ? Tu pourrais aller à Cannes, monter les marches du festival ! la taquina Gontrand.

– Idiot, va, lui répondit-elle en le frappant.

– Chut ! dit Guillemot, agacé. Pour ouvrir la Porte, je vais devoir lancer un sort. Et c'est la première fois, je vous le rappelle ! J'ai besoin de silence pour me concentrer.

– C'est vrai, c'est la première fois ! s'inquiéta de nouveau Coralie. Et tu es bien sûr que…

– Je suis sûr de mon sort, mais je ne suis pas sûr du résultat.

– Mais tu disais, il n'y a pas une heure… s'indigna-t-elle.

– … que j'allais ouvrir la Porte, et c'est ce que je vais faire. Après, je ne suis sûr de rien. C'est pour cela que j'aurais bien voulu un témoin, capable, si ça se passe mal, d'aller tout expliquer à Maître Qadehar ! En espérant que celui-ci veuille bien se lancer à notre secours.

– Un témoin, réfléchit rapidement Ambre, n'importe quel témoin ?

– Oui, n'importe qui de pas trop bête.

– Alors je ne sais pas si ça fera l'affaire, soupira la jeune fille, mais il y a toujours cet imbécile qui nous suit depuis tout à l'heure avec la discrétion d'un troupeau d'éléphants. Thomas ! Sors de ton trou et ramène-toi !

À la stupéfaction générale, Thomas de Kandarisar émergea d'un buisson et dirigea sa silhouette massive vers le petit groupe.

– Ça alors ! fit Romaric en colère. Dis donc, tu nous espionnes depuis combien de temps ?

– Laisse tomber, dit Ambre. De toute façon, je suis la seule à m'être rendu compte qu'il nous suivait, alors qu'est-ce que ça change ? Et puis tu vois, on a besoin de lui, en définitive…

– Ambre a raison, intervint Guillemot. Taisez-vous !

Il s'adressa à Thomas, qui avait le bras entouré de bandages et tenu en écharpe depuis son combat avec l'Ork.

– Thomas, est-ce que tu te sens capable de retenir tout ce que je vais faire pour aller dans le Monde Incertain ?

Thomas, tout à fait indifférent aux réactions du groupe jusqu'alors, hocha la tête. Dans son regard se lisait un dévouement absolu pour Guillemot.

– Si tu remarques quelque chose de franchement anormal, tu fonces à la recherche de Maître Qadehar et tu lui racontes tout. Si ça a l'air de bien se passer, tu attends de nos nouvelles pendant une semaine ; si on ne s'est pas manifestés d'ici là, tu vas le voir et tu lui expliques. Mais pas avant ! Tu as compris ?

Le garçon grogna son mécontentement de devoir l'abandonner, mais hocha de nouveau la tête en signe d'acquiescement. Il fouilla dans ses poches, en sortit un objet étrange qui semblait en argent et qui représentait une sorte de lion entouré de flammes.

– Tiens, Guillemot, dit-il en s'avançant et en tendant le bijou à l'Apprenti Sorcier. C'est pour toi. Je l'ai pris à l'Ork en me battant, l'autre jour. Ça te sera peut-être utile, là-bas.

Ils se rassemblèrent tous autour de l'objet et l'observèrent avec curiosité.

– Merci, Thomas, répondit gravement Guillemot en glissant le bijou dans sa sacoche et en s'approchant des Portes. Ah ! une dernière chose, ne t'attarde pas trop ici, le sort lancé aux Chevaliers se termine dans une heure… Les autres, vous êtes prêts ?

Romaric, Gontrand, Ambre et Coralie se rapprochèrent de leur ami qui s'était placé en face de la Porte du Monde Incertain.

– Tenez-vous par la main et ne vous lâchez sous aucun prétexte.

Guillemot saisit de la main gauche celle que lui tendait Ambre. Puis il se concentra. Fabriquer un *Galdr*, un sortilège, était plus complexe qu'appeler un Graphème…

Il sollicita d'abord *Raidhu*, le Chariot, le Graphème du Voyage, puis invoqua *Eihwaz*, le Vieil Arbre, qui établissait la communication entre les différents Mondes. Tout semblait se passer normalement. Restait à tisser entre eux les deux Graphèmes, et à les appeler ensemble ; cela lui prit longtemps. Ses compagnons, qui n'en menaient pas large et trouvaient effectivement le temps bien long, n'osaient pas bouger, encore moins parler, et à peine respirer ! Enfin, d'une voix tremblante, en touchant de sa main droite les signes sur la Porte localisant le Monde Incertain, Guillemot murmura l'incantation :

– *Par le pouvoir de la Voie et de Nerthus, d'Ullr et de la Double Branche, Raidhu dessous et Eihwaz devant, emmenez-nous ! RE !…*

Ils entendirent le bruit d'une porte qui s'ouvrait. Chacun serra la main de l'autre plus fort. Avec stupéfaction, ils virent les étoiles s'éteindre. Brutalement, ils furent aspirés par la Porte et plongèrent dans un trou noir, entraînés dans un effroyable tourbillon.

Sous les yeux ébahis de Thomas, la Porte du Monde Incertain s'illumina le temps d'un éclair et Guillemot, Romaric, Gontrand, Ambre et Coralie disparurent.

22
Les Collines Mouvantes

Il sembla à Guillemot qu'une seconde seulement s'était écoulée. Le temps de fermer les yeux et de les ouvrir, l'endroit où ils se trouvaient un instant auparavant avait laissé la place à d'étranges collines couvertes d'herbe, qui se succédaient jusqu'à l'infini en faisant le dos rond dans l'obscurité. La nuit était tombée, et un mince croissant de lune brillait au milieu des étoiles. Derrière lui, une porte unique dressait sa silhouette dans le creux d'un petit vallon, une porte semblable à celle qu'ils avaient devant eux, à Ys. Il n'y avait rien d'autre tout autour. Rien, ni personne. Personne…

Guillemot sentit une terreur profonde l'envahir. Les autres ! Où étaient les autres ?

Il courut comme un fou à droite et à gauche, grimpa plusieurs collines, explora plusieurs vallons, criant à en perdre la voix. À bout de souffle, il se laissa tomber dans l'herbe et éclata en sanglots. Qu'est-ce qui avait bien pu se passer ? Où pouvaient être Romaric, Gontrand, Ambre et Coralie ? Ce n'était pas possible, ils se tenaient tous par la main, quelques minutes auparavant ! Les larmes ne cessaient de couler sur ses joues. Qu'avait-il fait de tous les bons conseils de son Maître ?

« Prudence et humilité, les maîtres mots du Sorcier... » Avait-il été prudent ? Non. Et humble ? Encore moins... Il avait péché par excès d'orgueil. Lui, le surdoué de la sorcellerie, à qui rien ni personne ne résistait, avait cru que la Porte lui obéirait ! Qu'avait-il fait, bon sang, qu'avait-il fait ?

Il se calma peu à peu et, en même temps qu'il séchait ses larmes, il se mit à réfléchir. Qu'est-ce qui avait bien pu ne pas fonctionner, dans le *Galdr* invoqué ? Il avait ouvert la Porte, il s'était retrouvé dans le Monde Incertain, mais seul. Tout seul... Guillemot se pétrifia. Tout à coup, il comprit. Comment avait-il pu oublier d'inclure dans son incantation *Wunjo*, l'Étendard, dont la fonction principale était de relier les individus tournés vers un même but ? Il n'aurait pas dû arriver à *RE* mais à *WRE !* Mentalement, il se récita le Galdr tel qu'il aurait fallu le construire : *Par le pouvoir de la Généreuse, de la Voie et de Nerthus, d'Ullr et de la Double Branche, Wunjo dessus, Raidhu dessous et Eihwaz devant, emmenez-nous ! WRE !*

Il se maudit de son oubli, mais en même temps ressentit un grand soulagement. Le Graphème qu'il n'avait pas formulé permettait simplement de maintenir des individus regroupés... Ses amis n'étaient pas restés prisonniers du tourbillon, quelque part entre les Deux Mondes ! Comme lui, ils avaient certainement abordé, chacun de leur côté, le Monde Incertain. Mais où ? Il sortit la carte de sa sacoche et l'étudia tant bien que mal sous la faible lumière de la lune. Il n'avait pas emprunté la Porte officielle ; cette dernière se trouvait sur une île et – il promena son regard alentour – l'endroit où il se tenait n'avait rien d'une île. Tout indiquait qu'il devait être ici sur la carte, quelque part dans les Collines Mouvantes. Le mieux à faire, à l'approche du jour, pourrait bien être de rejoindre la ville la plus proche, à savoir… oui, Ferghânâ, qui devait être à un ou deux jours de marche.

Guillemot soupira et s'allongea dans l'herbe, enroulé dans son confortable manteau de Petit Homme de Virdu. Quelle heureuse idée il avait eue de répartir son matériel et de partager avec ses amis ses connaissances du Monde Incertain ! Un secret espoir commençait à s'emparer de lui. Ils avaient tous une carte, et chacun avait vu le bijou que Thomas lui avait confié. En toute logique, Gontrand, Romaric et les deux sœurs devraient suivre cet indice ! C'est en tout cas ce qu'il allait faire, lui. Et puis, au pire, dans une semaine, Maître Qadehar se lancerait à leur recherche !

Rasséréné par cette idée, l'Apprenti laissa son regard errer librement dans le ciel. Il eut un mouvement de surprise : il reconnaissait les étoiles, mais elles n'étaient pas du tout placées normalement. C'était très étrange. Il y avait pourtant les mêmes constellations qu'à Ys ; cependant, elles prenaient des formes inhabituelles… Il se promit de noter toutes ces observations dans son carnet, à son réveil, et, épuisé par les événements de la journée, il laissa le sommeil l'envahir.

Guillemot se mit en route le lendemain, après une mauvaise nuit peuplée de rêves agités dans lesquels Ambre l'appelait au secours, avant de disparaître sans qu'il puisse faire un geste. Ces cauchemars, qui le tourmentaient depuis son réveil, trahissaient l'état d'esprit dans lequel il se trouvait plongé : au-delà des scénarios inventés pour se rassurer, il savait que la situation n'était pas brillante, pour ne pas dire catastrophique, et que ses amis couraient peut-être un réel danger, quelque part dans le terrible Monde Incertain.

Un animal qui ressemblait à un lièvre détala à son approche. Sa fuite, bondissante et désordonnée, avait un côté grotesque qui amena un sourire sur le visage du garçon. Celui-ci se rendit compte tout à coup qu'il avait faim, et le soleil qui indiquait maintenant midi lui en donna la raison. Il sortit un morceau de pain de son sac à dos et mordit dedans. Sans qu'il puisse dire pourquoi, un poids avait quitté sa poitrine. Il respirait beaucoup mieux. La piste du bijou lui réapparut comme une évidence, et le choix de Ferghânâ pour commencer ses recherches comme le seul sensé ! Il repartit presque joyeusement, le cœur réchauffé par l'espoir de retrouver rapidement ses compagnons.

Guillemot marchait depuis deux jours à travers l'incroyable succession de collines. Il avait finalement compris pourquoi elles portaient sur la carte le qualificatif de Mouvantes : le vent qui ébouriffait ses cheveux châtains jouait aussi avec l'herbe qui couvrait les collines, et on aurait dit qu'elles se déplaçaient à la façon des vagues. Le soleil s'avérait moins brûlant qu'il ne l'avait craint et les nuits étaient plus fraîches que froides. Ses provisions n'en avaient pas moins fondu rapidement, et il savait que s'il n'arrivait pas bientôt en vue de la cité de Ferghânâ, sa situation n'allait pas tarder à devenir périlleuse.

Cependant, Guillemot n'avait pas vraiment d'inquiétude. D'après les relevés fréquents qu'il effectuait sur la carte, où figuraient les coordonnées telluriques, aérologiques et astronomiques de Ferghânâ, il n'en était plus très éloigné. À chaque instant, il remerciait son Maître de l'avoir obligé à se plonger dans ces sciences rébarbatives ! Grâce à elles, grâce à l'expérience acquise à Troïl et à la connaissance des courants variés du Monde Incertain, dont il avait soigneusement relevé la position lors de son séjour à Gifdu, il savait précisément où il se trouvait. La brise qui soufflait, les ondes qu'il ressentait sous ses pieds, le soleil et les étoiles le guidaient plus sûrement qu'une carte routière.

En effet, un peu plus tard, au sommet d'une colline plus haute que les autres, il découvrit les remparts de Ferghânâ.

23
La Mer des Brûlures

Coralie ouvrit enfin les yeux qu'elle avait fermés au moment du passage de la Porte et les laissa s'habituer à l'obscurité.

Elle était couchée au milieu d'un bric-à-brac invraisemblable, amoncellement d'étoffes, de vaisselles précieuses, de coffres et de meubles sculptés empilés les uns sur les autres. Elle promena son regard au-dessus d'elle ; le toit ainsi que les parois étaient en toile épaisse, et des fentes sur les côtés laissaient passer la lueur de la lune. Coralie imagina qu'elle se trouvait sous une grande tente. Elle s'assit sur le sol de planches et tourna la tête. Derrière elle, une Porte renversée était coincée entre une table basse et une malle éventrée de laquelle s'échappaient des écharpes de soie qui semblaient abîmées par un long séjour dans l'eau.

La jeune fille se releva et s'inquiéta de ne pas voir bouger les autres. Elle remarqua, sur le coin d'un meuble proche de l'entrée, une lampe à huile dont le bec en cuivre luisait dans la pénombre. Elle en alluma la mèche à l'aide d'un vieux briquet, déposé juste à côté, signe que l'on venait ici de temps en temps. Puis elle entreprit de fouiller la tente.

– Hé, les copains ! C'est pas drôle de jouer à me faire peur ! Allez, sortez de là… Ohhh !

En soulevant une tenture traînant par terre, elle découvrit une cassette métallique piquée de rouille, et remplie de bijoux.

« Il faut être fou, pensa-t-elle, pour laisser traîner des bijoux dans un endroit ouvert à tous les vents. Ils sont tous magnifiques ! »

Elle en choisit quelques-uns et chercha un miroir, qu'elle trouva sur un meuble déformé par l'humidité. Elle accrocha deux pierres bleues à ses oreilles, un collier d'or à son cou et un bracelet d'argent au poignet.

– J'ai une tête à faire peur, murmura-t-elle.

Elle sortit une brosse qu'elle avait pris soin d'emporter dans son petit sac et se recoiffa soigneusement. Puis elle se mit en quête des autres.

Après avoir fouillé la tente sans résultat, elle se dit qu'ils étaient peut-être déjà sortis. Sans l'attendre ! Elle pinça les lèvres. Ce ne serait pas la première fois… Elle jeta un regard sur son manteau de Petit Bonhomme du Virdu et haussa les épaules. Décidément, ce n'était pas possible d'enfiler une chose aussi affreuse ! De toute façon, dehors, il faisait nuit. Elle écarta les battants de toile.

– Ouahhhh ! Ça alors !

Coralie eut du mal à en croire ses yeux. Elle était en mer ! Enfin, c'était bien la mer qui scintillait tout autour d'elle sous la lumière du croissant de lune ! Elle se trouvait sur une large plate-forme, comme un gros radeau. De toutes parts, d'autres radeaux flottaient, reliés entre eux par des passerelles de bois ; de petites vagues faisaient entendre des clapotis lorsqu'elles venaient frapper les rondins.

– Ambre ! Guillemot ! Gontrand ! Romaric !

Sans quitter l'entrée de la tente, elle appela ses amis en chuchotant du plus fort qu'elle put. Elle ne reçut aucune réponse... Elle retourna s'allonger à l'endroit où elle avait ouvert les yeux, non sans avoir pris au passage d'épais tissus pour se confectionner un matelas et une couverture confortables.

Pourquoi était-elle seule, ici ? Coralie n'était pas rassurée. Guillemot avait montré une île sur sa carte en disant – elle se rappelait encore son ton plein de certitude – : « On arrivera dans le Monde Incertain ici... » Ici, tu parles ! Un radeau avait beau être aussi entouré d'eau, ce n'était quand même pas une île ! Elle était sûre, pourtant, que ça ne marcherait pas ! Est-ce qu'elle ne l'avait pas dit aux autres ? Ils avaient beau se moquer d'elle à chaque fois qu'elle s'inquiétait, eh bien, où qu'ils soient tous en ce moment, ils devaient se mordre les doigts de ne pas l'avoir écoutée, cette fois-là. Elle devait sûrement avoir à faire quelque chose de plus intelligent que s'énerver. Elle verrait demain... Il s'était déjà passé suffisamment d'événements extraordinaires !

Coralie s'enroula dans la couverture improvisée et chercha le sommeil. Mais le roulis léger la dérangeait, et le bruit de l'eau contre le radeau la fit sursauter à plusieurs reprises. Elle comprit qu'elle aurait du mal à s'endormir. Elle se mit à penser à sa mère, dans leur village de Krakal, à son père, et à Ambre. Où pouvait-elle être en ce moment ? Elle aurait donné cher, ce soir, pour entendre ses remontrances ! Des larmes coulèrent sur son visage.

Les clapotis finirent par la bercer, et le sommeil emporta Coralie tard dans la nuit.

– Regarde, papa, je t'avais bien dit que j'avais vu de la lumière, et que j'avais entendu du bruit dans la tente aux objets, cette nuit !

Coralie ouvrit les yeux. Elle était blottie à la même place mais, au-dehors, le soleil avait remplacé les étoiles. Quelqu'un venait de parler. Ce n'était pas un rêve…

– Qu'est-ce que tu fais là ?

Coralie se redressa sur son matelas. Elle découvrit devant elle une fillette et un homme qui la dévisageaient.

– Je répète ma question : qu'est-ce que tu fais là ? Est-ce que tu comprends le ska ?

L'homme ne s'adressait pas à elle méchamment ; il semblait simplement intrigué. Coralie l'observa un instant avant de répondre. Il n'était pas très grand, vêtu seulement d'un short ample. Sa peau était tannée par le soleil et crevassée par le sel. Ce qui étonna la jeune fille d'Ys, c'étaient ses cheveux, presque blancs, et ses yeux vitreux. La fillette lui ressemblait étrangement.

– Oui, monsieur, je comprends le ska. Mais pour vous expliquer ce que je fais là…

La fillette, aux longs cheveux blancs, vêtue d'une tunique légère qui laissait apparaître l'équivalent d'un maillot de bain, agrippa son père par le bras.

– Laisse-la, papa, c'est sûrement une Pachahn. Oh ! s'il te plaît, est-ce que je peux la garder avec moi ?

L'homme sourit avec tendresse en regardant sa fille.

– D'accord, Matsi. Mais jusqu'à la prochaine côte : tu connais la règle !

L'homme à la peau brûlée par le sel quitta la tente. Sa fille, qui devait avoir une dizaine d'années, s'approcha gaiement de Coralie.

– Je m'appelle Matsi !

– Et moi Coralie… Matsi, ton père n'est pas en colère contre moi ?

– Non, répondit la petite fille avec un grand sourire. Il arrive souvent que des Pachahns montent dans nos radeaux pour se cacher, lorsqu'on s'approche des côtes. Mais on les retrouve toujours !

– Des Pachahns… C'est quoi ?

– Des passagers clandestins, bien sûr ! Allez, viens jouer dehors ! Lorsqu'on abordera une côte, tu seras reconduite à terre et moi je me retrouverai toute seule.

Elle prit Coralie par la main et l'entraîna hors de la tente.

– Pourquoi tes yeux sont si clairs ? On dirait qu'il y a une peau transparente, dessus.

Fatiguées de s'être poursuivies en riant et en s'éclaboussant dans l'eau, Coralie et Matsi s'étaient assises sur le bord du radeau, et discutaient en se séchant au soleil.

– C'est pour voir sous l'eau. Papa m'a expliqué que tous les enfants du Peuple de la Mer naissent comme ça.

– Vous êtes nombreux ? demanda encore Coralie qui

avait exploré avec fascination les pontons des dix-huit radeaux de la Sixième Tribu du Peuple de la Mer, à laquelle appartenaient Matsi et son père.

– Il y a trente tribus en tout, déclara la fillette avec fierté. Certaines possèdent quarante radeaux. Du temps de mon grand-père, la nôtre en avait vingt-sept ! C'est mieux d'avoir beaucoup de radeaux. C'est plus stable sur la mer. Il y a plus d'endroits où jouer, aussi.

– Vous n'allez jamais à terre ? s'étonna Coralie. Vous passez toute votre vie sur vos radeaux ?

– Qu'est-ce qu'on irait faire à terre ? répondit Matsi. On s'approche des côtes, c'est tout. Parfois, on détache un radeau et on l'envoie sur une plage, pour échanger nos poissons contre d'autres choses. La terre, c'est dangereux. On est en sécurité, ici ! Ce qu'il y a… c'est que je suis toute seule.

– Tu n'as pas d'amis ? Il y a d'autres enfants, pourtant, sur les radeaux.

– C'est vrai, répondit avec gravité la fillette. Mais mon père est le gardien des objets, et les autres ne veulent pas jouer avec moi.

– Ils ne veulent pas jouer avec toi parce que ton père est un homme important ? s'étonna Coralie.

Matsi éclata de rire et battit des pieds dans l'eau.

– Un homme important, mon père ? Mais non, au contraire : c'est le moins important de tous ! Pachéiak, qui conduit nos radeaux de côte en côte avec les courants, est un homme important. Haléiak, qui pêche les plus gros poissons de la tribu, est un homme important. Ousnak, qui nage vite et très loin, est un homme important. Mais mon père, Wal, garde seulement les objets que la mer nous envoie ou qu'Ousnak rapporte du fond. Pourquoi veux-tu qu'il soit important ? Il garde des choses qui ne servent à rien.

Coralie resta interdite. Les objets, inutiles ? Mais comment pouvait-on… ? Elle réfléchit aux arugments qu'elle allait déployer pour convaincre Matsi de leur importance, mais curieusement, n'en trouva aucun. Évidemment, il était difficile, dans cet environnement où tout le monde était presque nu, de vanter les robes et les bijoux ! Finalement, elle demanda :

– Pourquoi les gardez-vous, alors, s'ils sont inutiles ?

– Parce qu'on les a toujours gardés. De même qu'il y a toujours eu un guide pour nos radeaux, il y a toujours eu un gardien des objets, c'est tout.

– Et ça t'embête que ton père soit ce gardien ?

– Ce qui m'embête, c'est que les autres ne veulent pas jouer avec moi… Regarde, là-bas ! Des Brûleuses !

Matsi tendait le bras en direction d'une gigantesque tache sombre qui ondulait à la surface au rythme de la mer.

– Est-ce que c'est dangereux ? s'inquiéta Coralie.

– Non, tant que tu restes sur les radeaux et que tu ne vas pas dans l'eau.

Les radeaux se retrouvèrent bientôt en plein milieu de la tache inquiétante. Personne de la tribu ne semblait s'en émouvoir, mais chacun prenait garde de ne pas s'approcher trop près du bord.

– On dirait… des méduses ! s'exclama Coralie qui observait avec dégoût la masse compacte et gélatineuse. Quelle horreur ! Je déteste les méduses !

Elle sentit un frisson glacé lui parcourir le dos. C'était plus fort qu'elle : elle avait une aversion pour tout ce qui ressemblait à de la gelée ! Lorsqu'elle était petite, pour l'embêter, Ambre s'amusait à la poursuivre avec un pot de gelée de groseille ; Coralie poussait alors des hurlements jusqu'à ce que sa mère vienne à son secours. Impossible de dire d'où lui venait cette répugnance. Mais elle était tenace, et ne l'avait jamais quittée.

– Ce sont des Brûleuses, corrigea Matsi. Séparément, elles ne sont pas dangereuses, mais ensemble elles peuvent tuer des baleines ! Autrefois, on se débarrassait des Pachahns en les jetant aux Brûleuses, ajouta-t-elle en riant. Aujourd'hui, c'est moins drôle : on se contente de les débarquer quand on a du troc à faire sur la côte !

– Brrrr ! trembla Coralie. Ça doit être atroce de tomber là-dedans !

– Tu mourrais en quelques minutes, annonça tranquillement la fillette. Ta seule chance serait de réussir à plonger et de leur échapper en nageant sous l'eau.

– Et ça marche ?

– Oui. Je l'ai fait une fois.

Coralie lui lança un regard admiratif.

– C'est plus facile que d'échapper à un Gommon, en tout cas, précisa Matsi.

Coralie ne put s'empêcher d'en douter, et se demanda si elle ne préférerait pas avoir affaire à ces monstres plutôt qu'à ces répugnantes bêtes gélatineuses !

– Les Gommons viennent jusqu'ici ? demanda-t-elle.

– Non. Quand ils nous attaquent, c'est près des côtes, ou alors sur les plages.

– Ça, je le sais… marmonna Coralie dont le visage s'assombrit.

Le récit de la capture du Gommon et de l'enlèvement d'Agathe, événements qui étaient à l'origine de toute l'aventure, lui revint en mémoire, et chassa les méduses de son esprit. Le souvenir de sa sœur et de ses amis surgit à son tour, et un sentiment de tristesse la submergea. Mais à quoi bon se laisser aller au chagrin ? Tant qu'elle n'était pas à terre, elle ne pouvait rien faire.

– Qu'est-ce que tu as ? s'inquiéta Matsi en apercevant des larmes dans les yeux de sa nouvelle amie.

– Rien, rien, se reprit Coralie en secouant la tête. Allons plutôt voir ton père : il nous fait signe.

L'odeur de poisson grillé qui flottait dans les airs depuis quelque temps s'était faite plus insistante et le père de Matsi les appelait pour manger.

24
L'Irtych Violet

Ce devait être le début de l'après-midi. Depuis une heure environ, Ambre ne cessait de se retourner : il lui semblait qu'on la suivait. Elle sentait derrière elle une présence, et éprouvait le sentiment désagréable d'être surveillée à son insu. Mais, à chaque fois, elle ne voyait rien. Elle continua à marcher sous les grands arbres, sans pouvoir se débarrasser de son appréhension.

La veille, comme Guillemot sur sa colline et Coralie sur son radeau, elle s'était retrouvée plongée dans la nuit. Sans s'affoler, elle avait attendu que ses yeux s'habituent à la pénombre. Un peu plus tard, elle avait distingué des formes gigantesques et immobiles autour d'elle et, au-dessus de sa tête, la lune masquée par de lourdes masses mouvantes.

« Bon, je suis dans une forêt, s'était-elle rassurée en s'approchant d'un arbre et en en touchant l'écorce. C'est pour cela qu'il fait aussi sombre. »

Elle avait jeté un rapide coup d'œil autour d'elle, et avait constaté que ses compagnons n'étaient pas avec elle. Elle n'avait pu alors retenir un profond soupir.

Que s'était-il passé ? Rien de bon, c'était certain. Peut-être que Guillemot s'était trompé et qu'il existait plusieurs Portes dans le Monde Incertain ? Mais est-ce qu'il n'y aurait pas eu une formule pour qu'ils restent unis pendant le passage ?

« Pour le savoir, il faudrait le retrouver, cet Apprenti Sorcier ! » avait-elle bougonné.

Ensuite, elle avait imaginé sa sœur, elle aussi seule devant une Porte, complètement désemparée. Ses poings s'étaient serrés.

« Si quelqu'un s'amuse à lui faire du mal ! Oh ! Guillemot, Guillemot ! Pourquoi ? »

Elle s'en était voulu de sa confiance aveugle, comme elle s'en était voulu d'avoir poussé les autres à le suivre ! Mais se lamenter ou se laisser aller aux regrets ne servait à rien. De défi, elle avait redressé son menton et, les mains sur les hanches, avait observé l'endroit où elle se trouvait.

Elle avait fini par découvrir, sculptée dans le tronc d'un chêne immense, la Porte qui l'avait amenée ici. Comme il faisait trop noir pour s'aventurer dans l'exploration de la forêt, elle s'était hissée jusqu'à la première grosse branche de l'arbre, où elle s'était blottie en se roulant dans son manteau de Virdu.

« Au moins, je serai à l'abri des bêtes dangereuses s'il y en a ! »

Ambre n'avait pas peur. Après une dernière pensée pour sa sœur, elle avait fini par s'endormir, épuisée par les efforts et les tensions de la journée.

Aux toutes premières lueurs du jour, elle avait ouvert ses grands yeux bleus. Pendant la nuit, elle s'était réveillée à plusieurs reprises. Elle avait entendu un bruit étrange au pied de l'arbre et, plus tard, elle avait senti quelque chose la frôler. Elle ne s'en était pas inquiétée, sachant bien que la forêt vivait plus encore sous le regard de la lune que sous celui du soleil. Des trilles d'oiseaux avaient salué son réveil, et elle s'était étirée paresseusement, assise sur sa branche, les jambes pendantes.

Elle était montée en haut du chêne, et un regard lui avait appris qu'elle se trouvait en plein cœur de la forêt : des arbres et encore des arbres, à perte de vue. Elle s'était ensuite glissée le long du tronc, atterrissant sur le sol en souplesse. Un coup d'œil sur la carte du Monde Incertain lui avait indiqué qu'elle se trouvait certainement dans la région de l'Irtych Violet. Où qu'elle se trouvât, il lui fallait se diriger plein ouest !

« La première chose à faire est de sortir de là et de gagner un lieu habité, où je pourrai me renseigner et réfléchir à un plan d'action pour retrouver les autres », avait-elle conclu.

Elle avait observé la position du soleil, et s'était mise en route en direction de l'ouest, jusqu'au moment où elle avait eu le sentiment que quelqu'un la suivait.

Elle chemina encore un long moment, ne pouvant se débarrasser de cette désagréable impression, au milieu des vieux chênes aux troncs craquelés, dont les ramures s'étendaient au-dessus d'elle comme la voûte d'une cathédrale. Elle aimait cette forêt, qui lui rappelait celle de Paimperol, au Pays d'Ys, où elle allait souvent marcher avec son père. Ambre se sentait toujours bien au milieu de la nature, et plus particulièrement de la forêt. Au Pays d'Ys, il n'y avait pas ces forêts domestiquées par les hommes comme il y en a tant dans le Monde Certain. Elles étaient toutes sauvages, mystérieuses et peuplées de créatures aussi nombreuses qu'étranges, et l'homme qui s'y aventurait n'était qu'une de ces créatures parmi tant d'autres. Il y avait du respect, et même une certaine forme de complicité entre la nature et les habitants du Pays d'Ys. C'était comme un pacte ancien, conclu si loin dans le temps qu'une mémoire humaine ne pouvait s'en souvenir.

Ambre atteignit bientôt une vaste clairière. Des restes de bois calciné ainsi que les ruines d'une hutte indiquaient clairement que des charbonniers, qui fabriquaient du charbon de bois à partir des arbres, y avaient séjourné une saison plus tôt. Tout à sa joie de découvrir des traces de présence humaine, Ambre s'avança au milieu de l'espace dégagé. C'est alors que son intuition lui cria de prendre garde. La jeune fille se figea et blêmit. Qu'elle était donc stupide ! Il fallait qu'elle regagne la forêt, et vite ! Si c'était un animal qui la suivait depuis tout à l'heure, pourquoi ne l'avait-il pas encore attaquée ? Sûrement à cause des arbres qui la protégeaient ! Les arbres où elle pouvait se réfugier ! Elle rebroussa chemin et se mit à courir. Mais il était trop tard… Surgissant de la lisière, un animal d'une taille impressionnante se précipita dans sa direction en grondant ; il avait le corps et les pattes d'un sanglier, et la tête d'un chien ! Il était suivi par une horde de créatures de la même espèce. Ambre fit demi-tour en hurlant et courut vers l'ancienne hutte des charbonniers. Elle se baissa pour ramasser une branche et réussit à grimper sur le toit de poutres branlantes.

Quelques instants plus tard, la maison était encerclée par les bêtes qui bavaient, aboyaient et montraient leurs crocs.

– Allez-vous-en ! Couchés ! À la niche ! commanda Ambre d'une voix tremblante, en les menaçant de son bâton.

Elle ravala les larmes qui lui venaient. À quoi bon ? Seul importait à présent de défendre chèrement sa vie.

– Allez, les toutous, venez tâter de mon bâton ! Allez, horribles cochons, finissons-en ! s'écria-t-elle dans un ultime élan d'ironie.

À ce moment, le chef de la meute parvint à escalader une des poutres et à s'avancer prudemment sur ses sabots instables en direction d'Ambre. Celle-ci lui flanqua avec sa branche un grand coup sur la gueule qui le fit choir dans les décombres.

– Et d'un ! À qui le tour ?

La meute hurlait. Dans quelques minutes, elle s'élancerait à l'assaut de la hutte. Ambre le savait, mais curieusement ne ressentait pas de peur. Seulement une excitation, une volonté farouche de se battre jusqu'au bout, jusqu'à la limite de ses forces ! Soudain, un son de corne retentit et des cavaliers firent irruption dans la clairière. Les bêtes manifestèrent leur mécontentement de voir leur proie leur échapper, hésitèrent puis finalement détalèrent. Les hommes à cheval s'approchèrent de la hutte sur laquelle Ambre était restée juchée, le bâton toujours à la main.

Ils étaient une dizaine et étaient revêtus d'une armure de métal léger, aux reflets violets ; leur heaume arborait en cimier le crâne d'un animal de la forêt. Ils portaient un épieu de chasse en bandoulière et une épée au côté. Leurs chevaux étaient robustes. Sur la croupe de certains d'entre eux pendait le corps d'une bête qui ressemblait à un cerf. Celui qui devait être le chef descendit de sa monture, aussitôt imité par les autres qui mirent devant lui un genou à terre.

Il s'avança vers Ambre et ôta son casque, qui était surmonté d'un crâne d'ours.

– Une femme ! s'exclama la jeune fille qui en lâcha son bâton de surprise.

Le heaume avait libéré une longue chevelure blonde et découvert un beau visage éclairé par de lumineux yeux verts.

– Mon nom est Kushumaï. Kushumaï la Chasseresse.

Elle tendit la main à Ambre et l'aida à quitter son refuge instable.

– Moi, je m'appelle Ambre. Ambre de Krakal…

La Chasseresse lui sourit et continua, toujours en langue ska :

– Eh bien, Ambre, bienvenue dans la redoutable forêt de l'Irtych Violet !

La jeune femme, à laquelle ses compagnons semblaient manifester le plus grand respect, avait pris Ambre sur son cheval. Ils chevauchaient depuis une bonne heure en silence. Ambre décida de le rompre. Trop de questions la harcelaient !

– Excusez-moi, madame, mais… où allons-nous ?

– Appelle-moi Kushumaï. Je t'ai donné mon nom, tout à l'heure. Tu as le droit de t'en servir.

– Pardon, heu, Kushumaï… alors, où va-t-on ?

– Chez moi, dans mon château de Gor.

Les réponses de Kushumaï étaient laconiques. Cela gêna Ambre, qui n'en continua pas moins à poser ses questions.

– Vous étiez en train de chasser quand vous avez entendu les monstres aboyer ?

– On ne peut rien te cacher. Ces monstres, qui portent le nom de Roukhs, ne sont jamais très discrets !

– Et ces… Roukhs, d'où est-ce qu'ils sortent ?

– Des villes, où ils sont entraînés au combat. Les vainqueurs sont choyés, les perdants sont tués, ou abandonnés et contraints de survivre dans les forêts.

– Vous voulez dire qu'ils ne sont pas sauvages ?

– Ce sont de pauvres bêtes, inventées par des magiciens sans scrupules. Elles ont en elles la folie de l'homme, et c'est pour cela qu'elles sont méchantes. Le monde sauvage est dur, cruel parfois, mais il n'est pas méchant. La nature n'est ni bonne ni mauvaise : elle existe au-delà des notions de bien et de mal.

Ambre réfléchit un moment à ce que venait de dire Kushumaï, puis continua :

– Enfin, heureusement que vous passiez par là. Si vous m'aviez vue courir, complètement perdue, dans la clairière !

– Mais nous t'avons vue, répondit Kushumaï tranquillement.

Ambre resta interloquée.

– Vous… vous m'avez vue ? Alors vous étiez là ?

– Depuis le début, termina à sa place la cavalière.
– Pourquoi ? Alors pourquoi ? bégaya Ambre.
– Parce que nous voulions voir si tu valais la peine d'être secourue, expliqua la Chasseresse en éclatant d'un grand rire. Si tu avais renoncé, si tu t'étais effondrée devant les Roukhs, ceux-ci auraient hérité d'un bon repas et cela aurait été bien pour eux. Seulement tu n'as pas baissé les bras, tu t'es battue et tu m'as donné envie de venir t'aider ; cela a été bien pour toi.
– C'est monstrueux ! s'insurgea Ambre.
– Je te l'ai dit, termina Kushumaï d'une voix douce mais ferme : comme la nature ma mère, je suis au-delà du bien et du mal.

La Chasseresse éperonna sa monture et ils chevauchèrent bientôt au milieu des grands arbres.

25
La plage

Romaric sentit du sable sous ses pieds. Comme Guillemot, Coralie et Ambre au même moment, il écarquilla les yeux dans l'obscurité.

La première chose qu'il vit fut une grande plage bordée de part et d'autre de rochers. La deuxième, une Porte aux trois quarts enfouie, que la mer venait lécher par intermittence. La troisième, c'est qu'il était seul. Une série de jurons oscillant entre l'à peu près convenable et le carrément grossier s'ensuivit, tandis qu'il marchait de long en large pour se calmer. Dès qu'il remettrait la main sur son inconscient de cousin, il lui ferait passer l'envie de refaire de la sorcellerie ! Il s'était trompé, tout à l'heure, au Pays d'Ys : Guillemot n'était pas seulement fou, il était aussi dangereux.

Soudain, le garçon entendit du bruit à une extrémité de la plage. Il médisait depuis tout à l'heure, alors que ses amis étaient là, à quelques centaines de mètres, s'inquiétant à son sujet et certainement à sa recherche ! Il se sentit soulagé. Tout joyeux, il allait se précipiter dans leur direction quand son instinct lui ordonna de se méfier. Est-ce qu'il s'agissait vraiment de ses amis ? Qui d'autre, sinon, aurait pu se promener, en pleine nuit, sur une plage du Monde Incertain ? Il cessa de respirer. La réponse lui parut évidente : des Gommons…

Des Gommons pouvaient tout à fait se trouver, à cette heure, au bord de la mer, dans le Monde Incertain, puisque… puisque c'était là qu'ils vivaient ! Romaric étouffa un nouveau juron. Il se hâta d'effacer du mieux qu'il put les traces de ses pas dans le sable et marcha au bord de l'eau, en faisant le moins d'éclaboussures possible, vers les rochers à l'autre extrémité de la plage. Le trajet lui parut interminable.

Malgré ses craintes, il atteignit la zone rocheuse sans encombre. Il vérifia que l'endroit était bien désert, puis trouva une cachette, une petite grotte creusée dans un énorme rocher. Il ôta ses chaussures, ses chaussettes et son pantalon qui était mouillé jusqu'aux genoux. Il s'allongea sur le sol sec et se roula dans la chaleur du manteau de Virdu.

Les vagues venaient frapper la côte un peu plus bas, se retiraient en abandonnant de l'écume puis revenaient, inlassablement. Les bruits de la mer n'apaisaient pas le garçon. Il ne parvenait pas à trouver le sommeil. Il était trop énervé. Les pensées se bousculaient dans son esprit, allaient de ses parents à son oncle Urien, d'Urien à Guillemot et de Guillemot à ses amis. Il ne réussit à s'assoupir qu'au petit matin, et dormit par à-coups, se réveillant à chaque fois qu'une vague plus grosse que les autres s'écrasait au pied des rochers.

Le soleil était déjà haut lorsqu'il se leva. Il enfila ses vêtements encore humides en faisant la grimace. Il prit ensuite le temps de manger ; ses provisions étaient réduites et il aurait dû se contenter de grignoter, mais il lui était impossible de commencer une journée le ventre vide. Surtout après une nuit pareille. Puis il inspecta prudemment les alentours avant de quitter son abri et de s'avancer sur la plage.

Il se rendit près de la Porte à demi enfouie dans le sable. Son cœur s'accéléra : là où il avait marché en ruminant sa colère, la veille, d'autres empreintes marquaient le sol. Et ces empreintes, larges et profondes, n'étaient pas humaines.

– C'étaient bien des Gommons, murmura Romaric.

Il l'avait échappé belle ! Des histoires horribles circulaient à propos de ces monstres et de leurs habitudes alimentaires ; ils ne rechignaient pas à se nourrir d'humains, lorsque l'occasion se présentait. Il frissonna. Une fois de plus, son instinct l'avait sauvé.

– Romaric, mon vieux, il s'agit de ne pas traîner ici !

Tournant le dos à la mer, il grimpa sur les dunes et, quelques dizaines de minutes plus tard, il longeait un champ de blé.

Plus loin, il rencontra sous un arbre deux vieux paysans. Ils étaient en train de boire à une gourde à l'abri des premiers rayons du soleil, et le dévisagèrent sans manifester de surprise excessive.

Romaric passa une main dans ses cheveux pour leur donner un air présentable et engagea la conversation en ska. Il apprit bientôt qu'il se trouvait au nord de la cité des prêtres de Yénibohor. Une ville qu'il valait mieux éviter lorsque l'on était jeune et en bonne santé, car, racontait-on, les prêtres avaient la conversion rapide et le sacrifice facile.

– Mais cela, tu dois le savoir mieux que nous, n'est-ce pas, mon garçon ?

L'homme avait fait un clin d'œil à son compagnon.

– Pourquoi est-ce que je devrais le savoir ? demanda candidement Romaric.

– Oh ! répondit le second paysan en souriant, ce n'est pas la première fois qu'un novice s'échappe de cette ville infernale pour trouver refuge sur les côtes.

– Nous, on les voit, mais on ne dit rien, renchérit le premier. Pourquoi est-ce qu'on aiderait ces maudits prêtres, à qui l'on paye déjà la dîme ? fit-il à l'intention de son comparse.

– Y a pas de raison de leur dire quoi que ce soit, confirma l'autre en hochant la tête. Par contre, à toi, mon garçon, rien ne nous empêche de te donner ce conseil : retourne sur la côte, près de la mer, et attends qu'un bateau passe pour lui faire signe.

– Mais, objecta le garçon d'Ys, et les Gommons ?

– Les Gommons sont préférables aux hommes de Yénibohor, expliqua le premier paysan. Et tu auras toujours plus de chance de t'en sortir par la mer que par la terre : les prêtres au manteau blanc contrôlent la péninsule.

Les deux hommes lui offrirent de boire le vin coupé d'eau de leur gourde et de manger un peu de pain. Romaric ne refusa pas. Tout en mastiquant l'énorme tranche qu'ils lui avaient coupée, il décida de se rendre aux conseils des paysans.

Il allait rebrousser chemin et les quitter, après les

avoir chaudement remerciés, lorsqu'il se rappela le bijou que leur avait montré Thomas, juste avant qu'ils ne s'engagent dans la Porte. Il dessina le symbole dans la poussière. Les deux hommes se regardèrent.

– C'est le blason de la ville de Yâdigâr, qui se trouve au sud du Désert Vorace. Elle n'a pas bonne réputation. C'est de là que tu viens ?

– Non, c'est là que je compte aller… Dites donc, s'étonna Romaric, pour des paysans, je trouve que vous savez beaucoup de choses !

– C'est une insulte ou un compliment ? répondirent les deux hommes en riant. Tu crois qu'il faut nécessairement être un crétin pour cultiver la terre ou s'occuper des bêtes ?

– Non, bafouilla le garçon, non… Je voulais dire que vous semblez avoir beaucoup voyagé, c'est tout !

– On n'a pas toujours besoin de voyager pour s'instruire ! ironisa le premier paysan. Il y a un peu l'école, beaucoup les livres.

– Et puis les récits de ceux qui voyagent ! s'esclaffa le second.

Romaric les salua longuement puis reprit le chemin de la plage.

Il retrouva sans plaisir la mer, le sable et les rochers. L'endroit était toujours désert. La prudence aurait commandé qu'il s'abritât dans les rochers, mais l'attente n'était pas son fort ni la patience sa principale qualité ! Il trompa le temps en faisant des exercices d'assouplissement, et en répétant les mouvements qu'il connaissait du Quwatin, l'art martial en usage à Ys ; puis il marcha un moment sur la grève. Dans le lointain, il apercevait une terre qui pouvait être une île et, dessus, une montagne fumante qui devait être un volcan. Jamais il ne tiendrait, à ronger son frein, sur cette plage. Combien de temps le pourrait-il, d'ailleurs ? Il n'avait de provisions que pour deux jours encore. Sa décision fut prise aussitôt : il donnerait deux jours à un bateau pour se montrer ! Passé ce délai, il tenterait sa chance par voie de terre. Et au diable les prêtres de Yénibohor ! Il préférait vendre chèrement sa peau en entreprenant quelque chose, plutôt que la perdre bêtement en ne faisant rien.

Il retourna dans la grotte où il avait passé la nuit et se mit à étudier longuement la carte du Monde Incertain, recopiée à l'abri d'autres rochers, en ces temps meilleurs où il était encore dans son cher Pays d'Ys, entouré de ses amis.

26
Tour de force

Des torches brûlaient, prises dans des anneaux de fer qui saillaient des murs, et éclairaient de leur lumière dansante les tentures rouge sang d'une grande pièce ronde. Gontrand s'avança de quelques pas. L'endroit était encombré de meubles débordant de livres et de cartes, et sur des tables s'amoncelaient des éprouvettes et des cornues ; certaines étaient chauffées par un bec de gaz, et le liquide qu'elles contenaient bouillonnait en faisant de grosses bulles.

« Bienvenue chez Gargamel ! » pensa très fort Gontrand en promenant son regard autour de lui.

Au centre de la pièce se dressait une Porte semblable à celle qu'ils avaient empruntée au Pays d'Ys.

« Nous étions cinq devant la Porte, et je me retrouve tout seul de l'autre côté », se dit le garçon.

Il croisa les bras puis se gratta le menton de sa main droite, l'air perplexe, comme il le faisait toujours lorsqu'il s'abîmait dans une intense réflexion.

Une chose était sûre : le sortilège de Guillemot avait fonctionné, puisqu'il avait franchi la Porte. Mais quelque chose d'anormal s'était passé, puisqu'il se retrouvait tout seul de l'autre côté.

La magie ne devait pas être très éloignée de la musique : il suffisait d'un demi-ton de décalage avec la partition, et l'on jouait un autre air que celui qu'on avait voulu ! Ou alors, si l'on attaquait une partition dans une autre clé que celle indiquée sur la portée…

Voilà, c'était sans doute cela qui s'était produit : chacun avait abordé le même morceau (le Monde Incertain) avec une clé différente (une Porte différente) ! Pourquoi ? Il n'était pas Sorcier, mais il savait qu'il fallait réparer l'erreur, raccorder les instruments pour jouer le même air. En un mot, se retrouver.

Il se dirigea vers la porte métallique qui ouvrait sur un escalier en colimaçon. Soudain, il s'arrêta net. Son oreille entraînée entendait un bruit provenant de cet escalier, un bruit qui s'amplifiait. Il n'y avait pas de doute possible : quelqu'un, non, deux personnes montaient les marches.

Sans s'affoler, Gontrand chercha une autre issue. En regardant autour de lui à travers l'obscurité, il finit par distinguer, dans le mur situé à l'autre extrémité de la pièce, une ouverture percée à hauteur d'homme. Elle semblait communiquer avec l'extérieur, à en juger par la flamme d'une torche accrochée sur sa droite, qui vacillait sous l'effet d'un léger courant d'air. Sans perdre un instant, il s'en approcha. L'ouverture était suffisamment large pour qu'il puisse s'y glisser. Il devait faire vite : dans l'escalier, les bruits de pas étaient de plus en plus proches. Il se retrouva dans un passage, qui ressemblait à un boyau, si étroit qu'il ne put avancer qu'en rampant. Il parvint à se déplacer, s'aidant des aspérités des pierres, jusqu'à ce qu'il débouche, enfin, à l'air libre.

C'était la nuit. Les étoiles scintillaient dans le ciel, et une pâle lune éclairait un amoncellement rocheux… à une vingtaine de mètres en contrebas ! Plus bas encore, les vagues de la mer venaient se briser au pied d'une falaise. Pris de vertige, le cœur battant, Gontrand ferma les yeux : c'étaient Ambre et Romaric qui auraient dû être à sa place ; grimpeurs intrépides, ils ne connaissaient pas le vertige, eux !

Il respira profondément à plusieurs reprises pour retrouver son calme avant de rouvrir les yeux. Il constata alors qu'il était presque au sommet d'une tour. Comme il était inutile de songer à fuir par le bas, il se trouvait devant une alternative : soit rester caché là, en attendant que les visiteurs dont il avait entendu les pas quittent la salle – ce qui pouvait prendre un bon moment –, soit gagner le sommet de la tour. La crainte d'avoir à affronter son vertige le poussa à faire demi-tour. Il refit donc le chemin en sens inverse et, protégé par l'obscurité qui l'entourait, il promena son regard dans la salle. Il y avait quelqu'un ! Il vit un homme qui s'affairait devant une table sur laquelle étaient disposés différents instruments de chimie. Comme il lui tournait le dos, Gontrand remarqua seulement qu'il était grand et maigre. À un moment, l'homme tendit une éprouvette vers la lumière d'une torche pour en examiner le contenu ; il lui manquait un doigt à la main droite.

Dans l'escalier, l'autre bruit de pas était à présent tout proche. Un bruit lourd, si inquiétant que Gontrand, sans attendre, décida de tenter sa chance par le haut de la tour. Du plus vite qu'il le put il regagna l'extrémité du passage.

Puis, se mettant sur le dos, il commença à s'en extirper, les bras tendus au-dessus de lui, les mains à la recherche de prises. Il se retrouva dans le vide, le corps tout entier plaqué contre le mur extérieur. « Je suis complètement fou ! » gémit-il.

Jamais il n'avait eu aussi peur.

Une prise après l'autre, en prenant grand soin de ne pas regarder vers le bas, il parvint à se hisser lentement et finit par gagner le sommet de la tour. Il franchit les créneaux, puis, épuisé, il se laissa tomber sur le sol dallé. « Mais quel plaisir Ambre peut-elle bien trouver à l'escalade… » pensa-t-il en secouant la tête.

Maintenant, il lui fallait, par n'importe quel moyen, quitter cette maudite tour !

Quelques instants lui suffirent pour reprendre son souffle et récupérer un peu de force. Sautant sur ses pieds, il inspecta rapidement la plate-forme qu'il venait d'atteindre. La seule issue visible était le départ d'un escalier qui s'enfonçait dans le bâtiment. Mais il ne devait pas songer à l'emprunter, car c'était de là, il l'aurait juré, que provenait le bruit des pas qu'il avait entendu. En faisant la grimace, il se pencha au-dessus des créneaux, et finit par découvrir ce qu'il cherchait : une succession de poutres fixées dans la muraille, qui descendaient en spirale jusqu'à la base de la tour. Utilisées, sans doute, lors de sa construction. S'armant de courage, Gontrand posa le pied sur la première d'entre elles, tout en se cramponnant du mieux qu'il put à la paroi.

La descente lui parut interminable, d'autant qu'il devait s'arrêter fréquemment pour essuyer, de sa manche, la sueur qui lui piquait les yeux. Et c'est tremblant de tous ses membres qu'il finit par poser le pied sur le sol.

Devant lui, un petit sentier dévalait entre de lourds blocs rocheux. Il s'y engagea en courant. Il traversa les ruines de ce qui avait dû être un village fortifié : maisons éventrées, murailles effondrées. Il courait à perdre haleine. Enfin, lorsqu'il fut certain d'être en sécurité, il s'arrêta. Tout en réajustant son manteau de Virdu sur ses épaules, il se retourna. Il regarda la tour qui se dressait vers le ciel, sombre et terrible. En frissonnant, il reprit son chemin.

27
Tours de magie

Guillemot parvint au pied des murailles de la ville que le soleil couchant baignait d'une intense lumière ocre. Ferghânâ était située à proximité de la Mer des Grands Vents et du Désert Vorace. Elle était, pour les populations qui y vivaient, le principal débouché commercial. Ancienne étape sur la route du Bois qui drainait, à une époque plus faste, les richesses naturelles de l'Irtych Violet vers les cités du Sud fortunées, la ville devait aujourd'hui son opulence à ses marchés, attirant les gens de tout le Monde Incertain, aux taxes auxquelles elle soumettait ceux qui venaient pour affaires.

L'Apprenti Sorcier se présenta, dissimulé dans son manteau de Petit Homme de Virdu, devant l'une des portes monumentales de la cité fortifiée. Pour pouvoir entrer, il dut acquitter un droit de passage – une émeraude et deux saphirs – à un garde monstrueux, croisement à n'en pas douter d'un Ork et d'un humain.

Guillemot déambula un long moment dans les rues sinueuses d'où montaient des odeurs fortes de ragoût, de lessive et d'urine. Il s'émerveilla de l'abondance des marchandises chatoyantes étalées devant les échoppes, du spectacle des jongleurs et des cracheurs de feu qui animaient la moindre ruelle. S'enfonçant davantage dans la ville, caché sous son manteau gris, il croisa quelques Orks et autres créatures étranges ; cependant, l'essentiel de la population était d'origine humaine.

Ses pas le conduisirent jusqu'à une vaste place, pleine de monde et bruyante. Il dépensa une petite pierre précieuse pour manger sur la table crasseuse d'une échoppe de fortune. Elle avait été installée sous une tente montée à la hâte entre un montreur d'ours et un bonimenteur vantant les mérites d'un onguent miracle. Il mordit dans une énorme cuisse de Batachul – sorte de gros faisan des Collines Mouvantes – farcie aux Kutsis – morilles poivrées des montagnes de Virdu. Il trouva la farce terriblement épicée et, pour en apaiser la brûlure, but plusieurs gorgées de Sharap, un vin doux des Îles du Milieu. Mais rapidement, le vin faisant son effet, il sentit la tête lui tourner. Il décida sagement d'achever son repas avec une Palaur, une pomme rouge et sucrée provenant des régions de l'Est Incertain.

Enfin repu, il se leva et poursuivit son exploration.

Un peu plus loin, un groupe d'enfants se pressait devant le chariot d'un homme habillé de façon extravagante : il portait une longue robe bleue couverte d'étoiles et, sur la tête, un grand chapeau pointu.

– ... Et maintenant, moi, Gordogh le Magnifique, le plus grand magicien que le Monde Incertain ait jamais connu, je vais faire disparaître cette balle !

L'homme secoua sa main à une vitesse surprenante et la balle qu'il tenait disparut. Les enfants poussèrent des « Ohhhhh ! » de stupéfaction. « Un prestidigitateur ! » se dit Guillemot, amusé. L'homme était habile. Il fit disparaître plusieurs objets, qui réapparurent dans le dos ou derrière l'oreille de spectateurs incrédules. Puis il annonça, en levant haut ses bras pour réclamer le silence :

– À présent, le Grand Magicien Gordogh va faire disparaître l'un d'entre vous…

Il chercha des yeux sa victime parmi les enfants qui détournaient le regard et tâchaient de se faire le plus petit possible. Il s'arrêta sur Guillemot.

– Toi, le Petit Homme de Virdu ! Viens, rejoins-moi sur le chariot !

Poussé par les autres, trop soulagés de s'en tirer pour laisser filer la proie du magicien, Guillemot se retrouva propulsé devant Gordogh. Celui-ci le força à reculer d'un pas vers la gauche. Puis, l'air satisfait, il s'adressa au public :

– Par le pouvoir du Crâne ancestral, je détiens la Force toute-puissante ! J'ai le pouvoir de te faire disparaître ! Disparais !…

En agitant son manteau de manière à le dissimuler des autres, il passa devant Guillemot et appuya en même temps du pied sur un bouton. Guillemot entendit : « clic », puis la trappe sur laquelle il se trouvait s'ouvrit et il tomba sous le chariot bâché. Il sentit que deux hommes l'empoignaient.

– Allez, le Petit Homme, donne-nous tes pierres précieuses et ton manteau, ou dis adieu à la vie !

Guillemot se débattit un peu, mais en vain. Il appela les Graphèmes à la rescousse. Ceux-ci mirent du temps à apparaître, et lorsque l'Apprenti sollicita *Thursaz*, la Montagne, c'est *Isaz*, la Brillante, qui vint à sa place. Tous les signes tremblotaient et Guillemot avait du mal à les reconnaître. Cependant, il n'avait pas le temps de réfléchir à ce mystère ; et bien qu'il eût préféré l'appui du Graphème de la Défense, il murmura, juste avant d'être assommé par ses agresseurs, le nom du Graphème de l'Immobilité et de la Maîtrise de soi :

– *Isaaaaz*...

Il sentit la pression des mains sur son corps céder tout à coup. Il se dégagea du manteau de Virdu dans lequel il était emprisonné... Les deux comparses du faux magicien étaient à terre, raides comme des statues et complètement gelés ! Il frissonna. Au-dessus, Gordogh amusait toujours le public avec ses tours de passe-passe, sans doute pour laisser à ses complices le temps d'accomplir leur besogne. Guillemot rampa jusqu'à l'arrière du chariot et s'enfuit en courant dans les ruelles de Ferghânâ.

Il se passait quelque chose avec sa magie ! Pour le Passage, d'accord, il pouvait l'expliquer : il avait oublié un Graphème dans son *Galdr*. C'était idiot, ça n'aurait jamais dû se produire et, à cause de cette erreur, ses amis et lui étaient dans une fâcheuse situation ; mais il savait pourquoi c'était arrivé ! Il avait une explication ! Alors qu'il n'en avait aucune pour les Graphèmes qu'il avait appelés et qui étaient venus à reculons ; cela arrivait parfois, par fatigue ou par manque de concentration. Mais il n'avait pas réussi à leur donner une stabilité, alors qu'il y était toujours parvenu jusqu'à présent ! Et pourquoi avait-il eu du mal à les reconnaître ? Ils étaient tout déformés ! Bon, ensuite il avait appelé *Thursaz* ; celui-ci avait refusé de venir et Isaz s'était présenté à sa place. Pourquoi ? D'accord, ce n'était pas la première fois que les Graphèmes agissaient indépendamment de lui. Mais là, comment ces types s'étaient-ils retrouvés congelés ? *Isaz* aurait dû œuvrer sur lui, pas sur eux ! Par quel mystère ? Oh... Il se rappelait, tout à coup ! Maître Qadehar l'avait prévenu que les Graphèmes ne se comportaient pas dans le Monde Incertain comme au Pays d'Ys ! Oui, mais alors, comment allait-il les contrôler ici ?

Guillemot réfléchit encore un long moment à sa mésaventure et se promit, devant l'absence de réponse claire, d'éviter d'utiliser la magie dans le Monde Incertain.

Puis il se concentra sur les enseignes des échoppes donnant sur la rue.

Il ne tarda pas à trouver ce qu'il cherchait : dans une ruelle, à l'écart, la boutique d'un orfèvre restée ouverte, dont la lumière provenant d'une lampe à huile éclairait faiblement les pavés. Il poussa la porte.

Au fond de la boutique, un homme était assis à une table, ses lunettes sur le nez, devant un tas de montres démontées. C'était presque un vieillard. Assis à ses pieds, à même le sol, un jeune garçon lui passait les outils dont il avait besoin.

– Qu'est-ce que tu veux ? demanda-t-il d'un ton rude.

– Je veux connaître l'origine de ce bijou, répondit Guillemot, dans la même langue ska que le vieil homme avait utilisée, et en lui tendant l'objet en argent que Thomas lui avait confié au moment de franchir la Porte.

Le bijoutier saisit le médaillon, le tourna et le retourna entre ses doigts.

– Jamais vu. Maintenant, va-t'en. Je vais fermer.

Puis, se tournant vers le jeune garçon :

– Kyle, raccompagne le Petit Homme à la porte et mets deux tours de verrou.

Le garçon se leva. Il devait avoir le même âge que Guillemot. Mince, vigoureux, son regard bleu tranchait avec ses cheveux foncés et sa peau hâlée par le soleil. Ses pieds nus étaient entravés par une lourde chaîne qui rendait sa démarche malaisée et pesante. Il reconduisit Guillemot à la porte, comme le bijoutier le lui avait demandé. Mais au moment où celui-ci sortait, il lui souffla :

– Dans une heure. Au soupirail, de l'autre côté de la rue… Je peux t'aider.

Puis la porte se referma et Guillemot entendit le bruit d'un verrou. La lumière s'éteignit presque aussitôt, le plongeant dans l'obscurité.

28
Romaric se jette à l'eau

– Wal… je voudrais vous dire quelque chose.

Coralie s'était approchée du père de Matsi, qui tourna vers la jeune fille un visage bienveillant.

– C'est au sujet des bijoux que je porte. En réalité, je les ai trouvés dans la tente aux objets. Ils ne sont pas à moi. Je vais vous les rendre.

Elle ôta les pierres bleues, le collier d'or et le bracelet d'argent, et les tendit à l'homme qui ne fit pas un geste pour les prendre.

– Reprenez-les, Wal. Je suis soulagée maintenant ! Vous êtes si gentil avec moi depuis le début. Je me sentais coupable de vous avoir un petit peu… volé.

Elle rougit en prononçant le dernier mot. Le gardien des objets éclata de rire.

– Garde tes bijoux, ma fille. Ils sont bien mieux sur toi que dans notre tente ! D'ailleurs, seuls toi et moi savons que ces objets existent. Et même si ce n'était pas le cas, qui t'en voudrait ? Je n'empêche personne de venir se servir dans la tente, et personne ne vient jamais.

Coralie regarda Wal droit dans les yeux qu'il avait presque blancs et vit qu'il ne plaisantait pas. Elle lui sourit et remit sur elle les bijoux. L'homme lui tapota le bras, comme pour lui dire que c'était bien ainsi et qu'il n'y avait plus à revenir sur le sujet. Matsi surgit tout à coup et se précipita sur son père.

– La côte ! La côte ! C'est là qu'elle va me quitter, hein, c'est là ?

La fillette pleurait à chaudes larmes.

– Pour une fois que j'avais une amie, une amie rien qu'à moi !

Coralie vit avec surprise que la caravane de radeaux s'était approchée du rivage. Une longue plage s'étirait devant ses yeux, parsemée de-ci de-là de rochers. Wal consola sa fille :

– Non, Matsi, ce n'est pas là. Nous débarquerons plus au sud. Cette côte-ci est infestée de Gommons, et la terre que tu vois derrière est celle des prêtres de Yénibohor, avec lesquels le Peuple de la Mer n'entretient pas de très bonnes relations.

– Pourquoi ? demanda Coralie tandis que Matsi sautait de joie autour d'elle.

– Il n'y a pas si longtemps, lorsque nous troquions encore nos poissons contre leur blé, des enfants disparaissaient pendant les escales. C'est du passé, mais nous avons de la mémoire. Et nos rancunes sont comme nos amitiés : tenaces !

Wal semblait aujourd'hui particulièrement bavard.

– Vous ne m'avez jamais parlé de votre peuple, Wal, en profita Coralie.

– Parce qu'il n'y a rien à en dire, ma fille. Enfin, rien qui diffère de l'histoire de tous les peuples et de tous les hommes : nous sommes nés, nous vivons, nous mourrons !

– Mais ces radeaux, cette vie entièrement passée sur l'eau ?

– Il y a longtemps de cela, continua Wal, le Peuple de la Mer vivait sur la terre, éparpillé sur les côtes de la Mer des Brûlures. Nous étions nombreux et subsistions de pêche et du commerce des tapis d'algues que nous tissions. On peut dire que nous étions heureux ! Un jour, comme surgis de nulle part, les Gommons sont apparus. Peut-être envoyés par un mauvais dieu qui n'aimait pas notre peuple. Ces monstres nous ont combattus pour le contrôle des côtes. Ils sont féroces, puissants et cruels. Nos chances étaient minces d'en venir à bout ! Ils ont décimé mon peuple.

Coralie pâlit et se mordit les lèvres. C'étaient la Confrérie et la Guilde qui, à la fin du Moyen Âge, avaient capturé les Gommons sur les plages d'Ys, et les avaient envoyés dans le Monde Incertain pour s'en débarrasser ! Wal interpréta faussement le trouble de la jeune fille.

– Oui, cela a été horrible... Aussi, les chefs de village se sont réunis un jour pour discuter de l'avenir de notre peuple. Il nous était impossible de nous réfugier à l'intérieur des terres, à cause des peuples belliqueux qui les occupaient. Mais nous avions constaté que les Gommons, quoique excellents nageurs, n'aimaient pas s'éloigner des rivages à cause des bancs de Brûleuses qui pullulent dans notre mer. Notre destin s'imposait de lui-même : c'est sur la Mer des Brûlures que nous trouverions refuge ! Chaque village a donc construit et aménagé d'immenses radeaux. Lorsqu'ils ont été mis à l'eau tous ensemble, on aurait pu croire que la mer n'existait plus ! On ne parlait pas encore de Tribus mais de Villages : eh bien il n'y avait pas moins de trois cents Villages ballottés par les vagues et, sur les radeaux, des milliers de villageois qui ne connaissaient encore rien à la navigation ! Aujourd'hui, nous ne sommes plus que quelques centaines, répartis au sein de trente Tribus. Les autres n'ont pas survécu aux tempêtes, aux monstres marins, ou à l'appel de la terre où ne les attendait pourtant que le malheur…

Coralie resta silencieuse, affreusement gênée. Mais pour rien au monde, elle n'aurait avoué à Wal que son propre peuple était, même involontairement, à l'origine des malheurs du sien…

– Ne dis rien, ma fille. Je t'ai prévenue, tout à l'heure : un peuple est aussi mortel qu'un homme ! L'important, c'est qu'ils aient l'un et l'autre bien vécu. Regarde-nous : est-ce que nous sommes à plaindre ? Non ! Nous n'avons jamais faim, jamais froid et, surtout, nous sommes libres comme la brise marine ou le Bohik qui plane à l'infini au-dessus des flots !

Coralie, émue, sourit de reconnaissance à Wal, qui lui caressa la joue d'un geste paternel.

La conversation s'acheva car Matsi, lassée d'attendre, vint prendre la jeune fille par la main et l'entraîna pour jouer.

Romaric sortit de la grotte dans laquelle il s'abritait depuis deux jours. C'était le milieu de l'après-midi et le soleil tapait fort. Il avait épuisé ses provisions et sa réserve d'eau. Et aucun bateau n'avait encore fait son apparition au large de la côte ! Il s'en tiendrait à son plan : il quitterait cette plage et irait tenter sa chance dans les terres.

Il balaya la mer du regard. Sur la gauche, au loin, il lui sembla apercevoir une énorme tache sombre que les vagues ballottaient. Était-ce une illusion d'optique ? Il voyait mal et plissait les yeux sous l'effet du scintillement du soleil et de ses reflets sur l'eau.

Puis son attention fut attirée par quelque chose de plus gros, sur sa droite. Sans doute des troncs d'arbres qui dérivaient, ou bien l'épave d'un bateau ayant fait naufrage. Non, c'étaient des radeaux, il en était certain ! Le jeune garçon quitta les rochers et courut sur le sable en appelant et en agitant les bras. Il ne tarda pas à stopper net ses efforts : personne ne pouvait le voir depuis les radeaux.

Contrairement aux trois Gommons qui s'avançaient vers lui, attirés par ses cris.

Le garçon hésita. Retourner dans les rochers n'aurait servi à rien. Il aurait pu fuir par les champs, si les Gommons ne lui avaient pas coupé la route par un mouvement d'encerclement. Il ne lui restait plus qu'une solution, très aléatoire car les monstres étaient d'excellents nageurs : essayer de rejoindre les radeaux qui passaient en ce moment au large ! Sans perdre plus de temps à réfléchir, il se mit à courir et plongea dans une vague.

Sitôt quitté la zone de ressac, il se lança dans un crawl puissant qui l'éloigna rapidement du rivage. Il battait vigoureusement des pieds, persuadé qu'une grosse main de Gommon allait bientôt s'abattre sur une de ses chevilles et le tirer vers le fond. Mais lorsqu'il se retourna, il vit que les trois monstres étaient restés sur la plage et l'observaient, immobiles. Romaric ressentit un immense soulagement et ralentit un peu son allure. Il obliqua vers la droite en direction des radeaux, sans savoir que l'énorme tache sombre qu'il avait remarquée auparavant se rapprochait dangereusement de lui.

– Regarde, là-bas ! s'écria Matsi en saisissant la main de son amie.

– Quoi, qu'est-ce qu'il y a ? répondit Coralie que le soleil aveuglait et empêchait de bien voir.

– Il y a des Gommons sur la plage. Tu les vois ?

– Oui, ça y est, je les vois ! Qu'ils sont laids ! C'est nous qu'ils regardent comme ça ?

– Je pense qu'ils regardent plutôt le garçon qui nage vers nous. Ou alors les Brûleuses qui vont bientôt le rattraper.

– Un garçon ? Où ça, mais où ça, Matsi ?

– Là, montra la fillette en pointant son doigt.

Coralie distingua enfin le nageur et se figea. Ce n'était pas possible ! Mais si, ça l'était.

– Oh, là, là, non ! gémit la jeune fille en se mordant les doigts. C'est horrible ! Romaric…

– Tu le connais ? s'étonna Matsi.

– Oui, bien sûr, c'est Romaric ! C'est mon ami !

– Eh bien, ton ami va mourir, annonça tranquillement la fillette.

La tache sombre était toute proche de Romaric lorsque celui-ci s'aperçut de sa présence. Il se mit à nager de plus belle en direction des radeaux qui n'étaient plus qu'à quelques mètres, jetant des regards affolés sur les Brûleuses ; leurs corps se gonflaient et se dégonflaient rapidement, et les filaments translucides, au bout de leurs tentacules, frémissaient sous l'effet de l'excitation.

– Il va se faire rattraper avant d'avoir atteint les radeaux. Il faudrait que… Non, je n'oserai jamais ! murmura Coralie.

Elle ferma les yeux et s'imagina plongée dans un gigantesque pot de gelée de groseille. Elle frémit de dégoût. Rien à faire : elle ne pourrait pas…

Romaric poussa un cri étranglé, qui atteignit Coralie comme une décharge électrique et balaya toutes ses hésitations.

Comme mue par une inspiration soudaine, elle se dirigea vers le bord.

– Qu'est-ce que tu fais ? s'inquiéta Matsi.

– Je vais prouver, une fois de plus, répondit Coralie d'une voix blanche et avec un sourire forcé, que les garçons ne peuvent décidément pas se passer des filles.

Puis elle plongea, sous le regard stupéfait de la fillette.

Le contact vivifiant de l'eau la fouetta et lui redonna courage. En quelques brasses, elle rejoignit son ami qui manifestait des signes flagrants d'épuisement. Quand il la vit arriver sur lui, il en avala une gorgée d'eau de surprise et manqua s'étouffer. Coralie passa son bras sous son menton et l'aida à retrouver sa respiration. Derrière eux, les Brûleuses flottaient à moins d'un mètre, en masse compacte. « Il ne faut pas que je les regarde, il ne faut pas que je les regarde », murmura la jeune fille pour elle-même en tremblant et en détournant la tête. Puis elle s'adressa à Romaric, exténué :

– Suis-moi et fais exactement ce que je fais !

– Mais comment ? Que… qu'est-ce que … ?

– Plus tard. On n'a pas le temps. Tu es prêt ?

Romaric aquiesça. Elle prit une grande goulée d'air et plongea. Il s'empressa de l'imiter. Ils nagèrent sous l'eau autant qu'ils le purent en direction des radeaux. Lorsqu'ils remontèrent à la surface pour reprendre leur souffle, les Brûleuses, décontenancées par leur disparition soudaine, n'avaient pas progressé.

– Ça marche ! exulta Coralie. Allez, Romaric, encore un effort !

Elle replongea, en remerciant mentalement très fort Matsi pour ses conseils judicieux.

Quelques minutes plus tard, les bras puissants des hommes de la Sixième Tribu les hissaient tous deux à l'abri des brûlures de la mer.

29
Un géant mélomane

Gontrand marchait en direction du sud. Comme ses amis, il avait profité de la première halte pour se plonger dans une étude approfondie de la carte du Monde Incertain, recopiée à Ys sur la colline aux Portes. La tour, d'où il s'était échappé au péril de sa vie, était vraisemblablement celle de Djaghataël, dont le dessin naïf semblait narguer le serpent de mer figurant dans l'Océan Immense. Gontrand avait logiquement décidé de suivre la piste du bijou de Thomas – le seul indice qu'ils possédaient en commun – et s'était dit qu'en attendant de rencontrer quelqu'un à qui demander son chemin, mieux valait se diriger sur Virdu dont ils portaient également tous les cinq le manteau.

La route traversa un premier village. Le garçon tenta d'obtenir des rares habitants qu'il aperçut des informations sur le bijou, en le leur dessinant dans la poussière. Tous secouèrent la tête pour signifier qu'ils n'avaient jamais rien vu de pareil.

Le résultat fut identique dans le deuxième village, qu'il atteignit dans la soirée. Les gens, de petite taille, roux et à la peau laiteuse, n'étaient pas très causants, ce qui n'arrangeait rien. Il passa la nuit roulé en boule dans un champ, au pied d'une meule de foin, après avoir fait un sort à ses dernières provisions.

La chance lui sourit davantage dans le troisième village, plus important que les deux autres, où il s'arrêta au milieu de la matinée. Son intention était de remplir son sac de victuailles, car il avait constaté que les habitants de la contrée n'étaient pas très hospitaliers. Il finissait de marchander en ska le prix des quelques pommes qui tiendraient compagnie dans sa musette à un gros saucisson et à une miche de pain, lorsque son attention fut attirée par la porte ouverte d'un atelier de luthier. Il abandonna sans plus attendre la pierre précieuse que réclamait le maraîcher et s'y précipita. C'était une véritable caverne au trésor ! Sur les murs pendaient violes, harpes et mandolines de toutes sortes, de toutes les formes et de toutes les couleurs.

L'artisan leva les yeux de son travail, regarda un instant son visiteur, puis reprit son ouvrage.

– Vous voulez m'acheter quelque chose ?

Gontrand, tout à sa découverte, sursauta. L'homme, grand et blond, n'avait pas le physique de la région, caractérisé par une tignasse rousse et un corps trapu. C'était sûrement un étranger, tenant pour d'obscures raisons une boutique dans ce village perdu.

– Heu… c'est-à-dire, répondit le garçon dissimulé sous son manteau de Virdu, disons plutôt que je regardais…

Le luthier eut un sourire amusé.

– Depuis quand les Petits Hommes de Virdu s'intéressent-ils à la musique ?

– Et depuis quand les paysans de la région fabriquent-ils ce genre d'instruments ? répondit du tac au tac Gontrand, juste avant de se mordre les lèvres.

L'homme se mit à rire. Gontrand hésita puis finalement l'imita. Il rabattit sa capuche, s'approcha de lui.

– Vous avez raison, je ne suis pas de Virdu. Mais vous, vous n'avez pas l'air d'ici.

L'homme le coupa d'un geste.

– À chacun ses secrets, mon garçon ! Si tu me disais plutôt ce que je peux faire pour toi ?

Gontrand prit une gouge et traça sur un bout de planche le dessin du bijou de Thomas : une sorte de lion entouré par des flammes.

– Je cherche un endroit où on pourrait porter ce symbole.

Le luthier réfléchit.

– Je pense que ce dessin représente le blason de Yâdigâr. C'est une ville du Sud-Est, au bout du Désert Vorace. J'ai beaucoup voyagé avant de m'établir ici, mais je n'y suis jamais allé. Je sais cependant par ouï-dire qu'elle est le repaire de brutes et de brigands. Tu comptes vraiment t'y rendre, mon petit ?

– Oui, soupira Gontrand. J'ai des amis qui m'y attendent certainement.

– Eh bien, bonne route. Seulement, avant, je te conseille de prier tes dieux : tu risques d'en avoir besoin.

L'homme le salua de la main et retourna à son travail.

– Attendez, lança le garçon qui, sur le point de partir, était resté planté devant une superbe cithare. Combien, oui, combien pour cette merveille ?

Gontrand avait repris sa route, la musette pleine de vivres, son nouvel instrument en bandoulière. De temps en temps, il s'arrêtait, caressait le corps rebondi de la cithare et pinçait quelques cordes. Elle lui avait coûté tout ce qui lui restait des pierres précieuses données par Guillemot, mais il ne regrettait rien. Il pourrait toujours subvenir à ses besoins en jouant et en chantant ! S'il parvenait à rencontrer un autre public que des villageois bougons.

Son vœu fut exaucé le soir même. Il avait bifurqué au sud-est, et la nouvelle route qu'il empruntait semblait plus fréquentée. Il rejoignit à la tombée de la nuit un campement rassemblant une trentaine de chariots vides, disposés en cercle pour offrir une protection contre l'attaque d'éventuels brigands.

Les marchands étaient de Ferghânâ, une cité commerçante de l'Est ; ils avaient vendu leurs chargements à Virdu et rentraient les poches pleines de pierres précieuses. Pour cette raison, comme il était d'usage dans le Monde Incertain qui portait bien son nom, ils avaient fait appel à des mercenaires pour leur sécurité. En l'occurrence des hybrides, croisement d'humains et d'Orks, qui portaient sur leur corps et leur visage la marque de leur ascendance monstrueuse.

Ils avaient tenté de repousser Gontrand lorsqu'il s'était approché en se présentant comme un baladin, jouant de la cithare de village en village pour gagner sa vie. Comme les marchands avaient insisté pour avoir sa compagnie auprès du grand feu, ils l'avaient fouillé et ne le quittaient pas des yeux, avec un air suspicieux.

Gontrand avait essayé de conserver son calme,

mais il n'avait pu s'empêcher de tressaillir quand les énormes mains griffues s'étaient promenées sur lui. Il avait ensuite repris le contrôle de lui-même, près du feu où l'attendaient les marchands, richement vêtus, qui se réjouissaient de passer une soirée moins monotone que les autres. Il avait chanté en ska des chansons drôles de sa composition, qui firent rire aux larmes les marchands de Ferghânâ, et joué quelques airs tristes d'Ys qui les plongèrent dans une silencieuse mélancolie.

Il se faisait tard. Les hommes de Ferghânâ partaient les uns après les autres se coucher dans leurs chariots. Gontrand se retrouva bientôt seul auprès du feu.

– Je n'avais jamais entendu ces mélodies. D'où viens-tu, jeune baladin ?

C'était un des mercenaires qui, assis en retrait, s'adressait à Gontrand. Gigantesque, il devait dépasser d'une tête ses compères lorsqu'il était debout, et ses épaules cachaient presque la roue du chariot à laquelle il était adossé. Ce n'était pas un hybride. C'était un géant, à la façon d'Urien de Troïl.

– Je… je… en fait, bafouilla Gontrand, je les invente !

– Tu as du talent. Pourquoi le gâches-tu sur les routes, où d'ailleurs tu risques ta vie ?

Le géant se leva et vint le rejoindre. Il se déplaçait avec une souplesse et une rapidité que sa corpulence ne laissait pas deviner.

– Tu ne veux pas répondre ?

Il avait une voix caverneuse, posée et profonde. Ses

yeux, gris, n'étaient pas mauvais, son visage, taillé à la serpe, était marqué de balafres. Son crâne lisse portait des dragons tatoués. Son torse et ses bras étaient aussi couverts de cicatrices.

– Il n'y a pas de meilleure école que celle de la route pour un baladin, et pas de plaisir plus grand que celui d'être son propre maître et de dormir sous les étoiles, lâcha Gontrand, qui s'était abîmé dans la contemplation des flammes.

– Réponse de poète, murmura le géant. Tu me plais, petit ! Chez moi, dans les steppes du Nord Incertain, on aime la musique. Celle du vent dans les bouleaux, celle du hennissement des chevaux galopant à perdre haleine, celle de l'eau ricochant sur le feutre de nos tentes… On aime aussi la musique des mots, que nous disent les anciens qui savent, les enfants qui inventent, les femmes qui aiment…

Ils restèrent silencieux un moment. Gontrand se sentait bien. Instinctivement, il avait envie de faire confiance à ce géant dont l'âme apparaissait si lumineuse.

– Je m'appelle Gontrand. Gontrand de Grum.

– Et moi Tofann !

Le géant sourit et découvrit des dents de carnassier.

– Où te rends-tu, Gontrand ?

– Je vais à Yâdigâr rejoindre des amis.

– C'est amusant, c'est là-bas que je vais aussi. Sitôt en vue de Ferghânâ, j'abandonne mes employeurs et je me dirige sur la cité de feu. On dit que le seigneur Thunku récompense largement les hommes qui le servent, et qu'il offre l'opportunité de belles batailles !

Faisons la route ensemble, baladin : tu me joueras ta musique et j'éloignerai les dangers.

Ils se serrèrent la main pour sceller leur accord. Ses doigts broyés par ceux du géant, Gontrand se prit à regretter la poigne de l'oncle Urien, douce en comparaison.

30
La Chasseresse

Le château de Gor – qui était en réalité davantage une motte, un fort rudimentaire, qu'un castel – où Kushumaï avait amené Ambre au terme d'une longue chevauchée dressait les pieux acérés de son enceinte sur une butte de terre artificielle aménagée au centre d'une vaste clairière. Un ruisseau avait été détourné et empruntait le circuit de profondes douves, avant de reprendre sa course et de rejoindre son lit. Un pont-levis, servant d'accès à la porte principale de l'enceinte, permettait d'entrer dans une cour spacieuse. Trois bâtiments tout en longueur la délimitaient : l'un abritait l'écurie, les deux autres le dortoir, la cuisine et une grande salle servant de lieu de vie à la vingtaine d'hommes constituant la garnison du château. Le chemin de ronde utilisait le toit des constructions. Au centre de la cour, une tour carrée coiffée d'un simple toit de bardeaux s'élevait sur trois niveaux.

Tout ici était en bois.

– Je n'ai pas fait bâtir Gor pour me protéger des hommes, avait expliqué Kushumaï à Ambre dès leur arrivée. C'est la forêt qui s'en charge à ma place ! Mon château dissuade simplement les bêtes trop curieuses ou affamées.

Les hommes de Kushumaï présents dans l'enceinte s'étaient occupés des chevaux, après avoir manifesté leur joie de revoir leur chef. La jeune femme et Ambre s'étaient rendues directement dans la tour que la Chasseresse occupait seule. Le rez-de-chaussée servait d'entrepôt et de réserve ; au centre, un puits offrait une eau toujours fraîche. Au premier étage, des coffres à linge, un grand lit, deux gros fauteuils, une armoire remplie de pièces d'armement agrémentaient une grande chambre chauffée par une cheminée d'angle en métal noir épais, soutenue et retenue par des pierres. Des fourrures s'étalaient partout.

– Le dernier étage m'est réservé à moi seule, avait prévenu Kushumaï. Personne d'autre n'y a pénétré et n'y pénétrera.

Un chasseur vint allumer les bougies d'un grand chandelier, au centre de la pièce. Il avait abandonné son armure pour des vêtements de cuir plus confortables, et troqué son épée contre un poignard.

Kushumaï demanda qu'on leur serve le repas du soir dans cette pièce et l'homme disparut après avoir acquiescé.

– Il m'arrive de manger seule ici, confia la jeune femme à Ambre qui, étonnée par tout ce qu'elle découvrait, avait pris le parti de se taire et d'écouter. La plupart du temps, je rejoins mes hommes dans la grande salle. Ils aiment m'avoir avec eux.

Kushumaï raconta à son invitée comment elle était arrivée dans l'Irtych Violet, aux abois, pourchassée par les moines inquisiteurs du culte de Yénibohor qu'elle avait défiés en pratiquant des rites interdits sur leurs terres, et en dansant, un soir de pleine lune, sur le toit d'un de leurs temples.

– C'est étrange, lui confia son hôtesse, comme les hommes ont parfois peur des femmes.

La forêt avait caché, hébergé et nourri la sorcière. Celle-ci avait ensuite découvert que d'autres personnes vivaient à l'abri de l'Irtych Violet : ermites, bandits en fuite, faux mages poursuivis par de vrais magiciens… Elle avait su les conquérir et les convaincre qu'ensemble ils parviendraient à supporter le poids de leur destin. Ces hommes étaient ceux qu'Ambre avait rencontrés dans la clairière aux Roukhs et dans le château. Ils troquaient les fourrures contre des armes et du métal. Pour le reste, ils se contentaient de la prodigalité de la forêt. Et ces hommes l'avaient élue reine, elle, Kushumaï la Chasseresse ! Reine des forêts de l'Irtych Violet…

Ambre rêvait, allongée sur le ventre dans la chaleur d'une fourrure d'Ohts, une espèce d'ours géant, le menton appuyé sur la paume de ses mains, les yeux perdus dans le vague. C'était une histoire, une vraie ! Elle éprouva un sentiment d'admiration et d'envie pour son hôtesse, qui découpait, dans le plat fumant qu'on leur avait apporté, des tranches de viande grillée.

– Tiens, ne te laisse pas mourir de faim, lui fit Kushumaï en lui tendant un morceau au bout de son couteau.

Ambre le saisit, se brûla le bout des doigts mais mangea avec appétit. Lorsqu'elle eut fini, la Chasseresse lui apporta une épaisse couverture.

– Assez d'émotions pour aujourd'hui, déclara son hôtesse en mouchant d'autorité les chandelles. Il est temps de se reposer ! Bonne nuit.

Ambre voulut protester et, par défi, lutta un moment contre le sommeil. Mais elle était si fatiguée que, quelques minutes plus tard, elle s'endormit.

– Parle-moi encore de tes amis, demanda Kushumaï à la jeune fille d'Ys alors qu'elles marchaient dans la clairière entourant le château, à la recherche de champignons à chair rose.

La veille, pendant la chevauchée, Ambre s'était mise à raconter sa vie à la Chasseresse, sans parler toutefois du Pays d'Ys. Elle avait aussi longuement évoqué les membres de sa petite bande, ainsi que quelques-unes de leurs aventures. Elle s'était demandé ensuite, un peu tard, si elle avait bien fait et si elle n'aurait pas dû se montrer plus prudente. Mais Kushumaï l'avait écoutée, sinon avec intérêt, du moins sans l'interrompre, et c'était le moins qu'elle pouvait faire que de distraire par ses histoires celle qui l'avait sauvée ! Et puis, quelle importance cela pouvait-il bien avoir ? Kushumaï vivait recluse dans l'Irtych Violet, en dehors des affaires du monde.

– D'abord, il y a Coralie. C'est ma sœur. Elle est un peu bébête et très peureuse ; elle ne pense qu'à s'habiller et à s'amuser. Mais elle est très gentille, très dévouée et… et elle arrive à faire ce qu'elle veut des garçons !

– Toi tu n'y arrives pas ? s'amusa Kushumaï. Tu es pourtant très jolie.

– Je me moque d'être jolie et de plaire aux garçons. C'est plus amusant de les faire enrager ! Et de leur montrer que je suis tout aussi capable qu'eux ! Tant pis si je leur fais peur. Ce que je veux, c'est qu'ils me respectent !

– C'est pour cela que tu essayes de leur ressembler ? À mon avis, ma fille, tu fais fausse route. Tu crois que singer les garçons suffit pour être respectée ? Au contraire : place-toi sur un pied d'égalité avec eux et tu es perdue… Vois-tu, Ambre, je manie l'arc et l'épée aussi bien que la plupart de mes hommes ; c'est indispensable pour me faire respecter. Mais était-ce suffisant pour devenir leur reine ? Non. Pour cela, je les ai désarçonnés avec ma fragilité. Je les ai conquis avec mon amour… Mais tu découvriras tout cela par toi-même ! N'éprouves-tu pas des sentiments pour l'un de tes amis, ce Guillemot dont tu me parlais hier ?

Les paroles de Kushumaï avaient troublé l'adolescente. Elle sentait confusément qu'il y avait du vrai dans ce qu'elle disait.

– Hein ? Ah ! Guillemot… Au début, il m'énervait à rougir et à bégayer pour un rien. Toujours à soupirer, et à rêvasser ! Maintenant… Il a changé, c'est vrai. Il est devenu plus fort, plus sûr de lui. Il rougit toujours quand on se moque de lui, mais ce n'est plus pareil : il dégage de l'assurance, du mystère. C'est sûr, il me plaît davantage !

– Tu as tout le temps d'y réfléchir, conclut Kushumaï avec un étrange sourire. C'est à ton âge que l'on commence à explorer son cœur ! Rentrons, nous avons assez de champignons pour un régiment.

Elles regagnèrent le château et abandonnèrent la discussion portant sur les amis d'Ambre. Kushumaï lui fit visiter l'écurie ; les chevaux étaient magnifiques. Puis elle lui mit une épée légère entre les mains et lui montra quelques passes dans la cour, sous le regard amusé des hommes arpentant le chemin de ronde.

Il fut bientôt temps d'allumer les feux et d'attendre le repas du soir en bavardant. Ambre eut l'idée de glisser dans la conversation la description du bijou que Thomas leur avait montré. « Yâdigâr », avait simplement murmuré, comme à elle-même, Kushumaï. La fille d'Ys avait essayé d'en savoir plus, mais son hôtesse avait ri en lui disant, sur un ton de mystère, qu'elle aurait une réponse à sa question au matin. Puis un chasseur était arrivé avec des boissons.

– Ambre, annonça Kushumaï en levant sa coupe remplie de vin, je bois au destin qui t'a placée sur ma route !

– Et moi, l'imita la jeune fille grisée par cette journée exceptionnelle, je bois également au destin, celui qui vous a mis sur la route de la clairière aux Roukhs !

Elles trinquèrent.

Aussitôt, Ambre sentit que sa tête lui tournait.

– Mais que… Kushumaï ! Qu'est-ce que… ?

Prise de vertiges, elle s'effondra. Kushumaï n'avait pas bougé. Elle leva une nouvelle fois son verre et le vida d'un trait.

– Au destin, Ambre, au destin. Et à toi !

Ambre reprit brièvement connaissance lorsque Kushumaï l'emmena dans ses bras jusqu'au dernier étage de la tour, encombré de livres, de pots à herbes, de flacons contenant d'indescriptibles potions.

Elle se réveilla une deuxième fois lorsque Kushumaï l'étendit sur une table de bois grossier. Elle vit, à travers un brouillard, la Chasseresse dessiner sur son corps des signes étranges et l'entendit murmurer une lancinante litanie. Puis Ambre perdit de nouveau connaissance.

Kushumaï mettait dans ses gestes une grande application. Le sortilège qu'elle imprimait au plus profond d'Ambre était compliqué. Il lui demanda une partie de la nuit. Lorsqu'elle eut terminé, elle regarda la jeune fille et sentit son cœur se serrer.

– Pardonne-moi, petite Ambre, murmura-t-elle. Je devais le faire… Demain, tu ne te souviendras de rien.

Elle descendit de la tour avec Ambre dans ses bras et entra dans l'écurie. Son cheval était déjà sellé. Elle l'enfourcha, sortit du château et galopa en direction de la forêt, serrant la jeune fille contre elle.

Elles parvinrent devant la Porte sculptée dans le grand chêne, par laquelle Ambre était arrivée dans le Monde Incertain, alors que l'aube pointait à peine. Kushumaï déposa Ambre, toujours inconsciente, contre la Porte.

– Tu te réveilleras dans les Collines Mouvantes, lui murmura la Chasseresse. C'est la Porte la plus proche de Yâdigâr. Tu retrouveras tes amis, et Guillemot. Courageuse Ambre, brave petite Hamingja…

Kushumaï posa ses mains sur quelques Graphèmes gravés dans le bois de la Porte et chanta les paroles d'un *Galdr*. Il y eut un éclair, et Ambre disparut.

31
Le Désert Vorace

On avait bougé à la fenêtre. Cela faisait plus de deux heures que Guillemot attendait tapi dans l'obscurité, et il commençait à se demander si le garçon ne s'était pas moqué de lui, dans la boutique du bijoutier. Mais une main s'agita dans sa direction depuis le soupirail garni de barreaux. Il s'en approcha silencieusement. Derrière, il aperçut le visage de Kyle.

– Je ne sais pas qui tu es. Mais je connais le médaillon que tu as montré à ce bijoutier qui est devenu mon maître. Si tu m'aides à m'échapper, je te dirai tout ce que je sais.

– Je suis un Petit Homme de Virdu, répondit Guillemot après une hésitation. Et comment savoir si tu tiendras parole ? Une fois délivré, tu pourrais déguerpir !

– Si tu es de Virdu, alors moi je suis un Ork ! Quant à ma parole, tu l'as, je te le jure. Alors ?

– Alors d'accord, se décida Guillemot après s'être dit qu'il n'avait rien à perdre. Mais comment t'aider à sortir ?

– C'est facile. Un des barreaux est rongé par la rouille. Tout seul, je n'arrive pas à le casser. Mais si on s'y met à deux…

Guillemot empoigna le barreau ; Kyle fit de même de son côté. Ils tirèrent et poussèrent vigoureusement jusqu'à ce que la barre de fer cède brusquement. Puis il aida le jeune esclave, dont les chevilles étaient restées entravées, à se hisser dehors.

– Merci, qui que tu sois ! Maintenant, ne perdons pas de temps. Il faut quitter cette ville. Et vite !

– Pour aller où ?

– Dans le Désert Vorace.

– Le désert ? s'étonna Guillemot.

– À moins que tu ne préfères être pendu, c'est le sort qui attend ceux qui aident un esclave à s'enfuir, à Ferghânâ.

– Bon, ne perdons pas de temps ! concéda Guillemot. Voyons les bons côtés de la chose : je n'ai pas eu le temps de peaufiner mon bronzage, cet été.

Pour l'aider à marcher, il passa un des bras de Kyle autour de son cou.

Puis ils se pressèrent en direction d'une brèche dans les remparts, que connaissait son nouvel ami et que les voleurs empruntaient pour entrer et sortir de la riche cité sans se faire remarquer.

Ils s'échappèrent aisément de la ville. La lune ne luisait plus que faiblement, et disparaîtrait la nuit prochaine. Ferghânâ dormait du sommeil un peu lourd qu'ont parfois les gens trop satisfaits d'eux-mêmes. L'ouverture dans la muraille, discrète, n'avait sans doute jamais été repérée par les gardes et n'était pas surveillée. Ils s'enfoncèrent plein sud dans le désert. Leur progression était rendue malaisée par les chaînes que Kyle traînait aux pieds et que leurs efforts conjugués n'avaient pas réussi à briser. Ils marchèrent aussi vite qu'ils le purent jusqu'à l'aube, pour mettre le plus de distance possible entre eux et la cité des marchands.

– Ouf ! souffla Kyle qui venait de s'affaler sur le sable à côté de Guillemot. Bon, alors, dis-moi maintenant qui tu es en réalité.

– Je te l'ai dit, un Petit Homme de Virdu, répondit Guillemot en reprenant son souffle.

– C'est ça, ironisa Kyle. Je te signale quand même, pour ta gouverne, que les gens de Virdu ont la voix grave, préféreraient mourir plutôt que courir, et parlent le ska bien mieux que toi.

– Restons-en à notre accord, le coupa Guillemot d'un ton sec. Je t'ai aidé, alors à ton tour : qu'as-tu à me dire au sujet de ce bijou ?

Kyle posa longuement son regard sur l'Apprenti Sorcier dissimulé sous son manteau, eut une moue de dédain et s'enferma dans le silence.

– Bon, d'accord, soupira Guillemot qui sentait bien qu'il n'obtiendrait rien de cette façon. Jouons franc jeu.

Il ôta l'épaisse capuche du manteau de Virdu et dévoila son visage. Kyle resta stupéfait.

– Mais tu es… un gosse !

– Comme toi, rétorqua Guillemot, amusé par la surprise de Kyle.

– Je voulais dire… Enfin, tu… Mais comment ?

– Tu ne poses pas la bonne question, corrigea son compagnon de fuite. Ce n'est pas comment qui est important, mais d'où, et pourquoi. Tu veux savoir ?

Kyle opina vigoureusement, les yeux toujours écarquillés. Guillemot continua :

– Je ne suis pas de ce Monde. Je viens d'un autre Monde, qu'on appelle le Pays d'Ys. Oui, je suis un gosse, enfin, jusqu'à un certain point. Et je suis là… parce que je suis un peu fou ! En tout cas, ça m'aiderait vraiment que tu me dises ce que tu sais à propos du médaillon que j'ai montré au bijoutier. J'ai des amis perdus que je cherche à retrouver. Et peut-être que ce bijou…

Un silence se fit. L'esclave évadé regarda le garçon d'Ys, puis se décida :

– Je m'appelle Kyle, comme tu le sais. Il y a un an environ, des brigands ont attaqué mon peuple, qui vit dans le désert. Ils m'ont capturé et, à Ferghânâ, ils m'ont vendu au vieil homme que tu as vu, dans la boutique.

– Ça, c'est dur ! compatit Guillemot.

– Oh ! il ne m'a jamais fait de mal. Il n'était pas vraiment méchant. Ç'aurait pu être pire…

– Et… le bijou ? coupa Guillemot qui voulait éviter les digressions.

– J'allais y venir : ce médaillon est celui des hommes de main du Commandant Thunku, le maître de Yâdigâr. Je le connais, car ma tribu se déplace souvent et passe parfois à proximité de cette ville.

– Tu peux m'en dire plus sur ce Thunku ? demanda l'Apprenti.

– C'est un homme brutal et redouté, qui vit de brigandages sur le dos de toute la région. Il est à la tête d'une véritable armée, composée d'hommes mais aussi d'Orks et d'autres monstres du même acabit. Il a beaucoup d'amis puissants. Comme le Seigneur Sha, par exemple.

Guillemot tressaillit. Il avait déjà entendu ce nom ! Ou plutôt, il l'avait lu, quelque part. À Gifdu peut-être, oui, c'était cela, à Gifdu, dans un livre traitant du Monde Incertain ! Mais en quels termes ? Guillemot ne s'en souvenait plus.

– Quoi d'autre ? le pressa-t-il.

– Eh bien, à ma connaissance, Thunku n'a jamais fait la guerre à mon peuple. Nous sommes liés, avec Yâdigâr, par un très ancien traité de paix : le désert aux Hommes des Sables, la Route de Pierre à la cité !

Guillemot réfléchit un moment sur les propos de Kyle. Il tira la carte du Monde Incertain de son sac. Ferghânâ était ici, la Route de Pierre et Yâdigâr ici ; eux étaient par là. Dans le désert. Il soupira.

Tant de temps déjà s'était écoulé depuis qu'ils avaient franchi la Porte ! Ses amis rencontraient-ils autant de difficultés que lui ? Et surtout, seraient-ils à Yâdigâr, comme il l'espérait depuis le début ? Étaient-ils seulement encore vivants ?

– Qu'est-ce que c'est ? demanda Kyle, qui, curieux, s'était approché.

– C'est une carte de ton Monde. Tu vois, nous sommes à peu près ici.

Kyle semblait fasciné.

– C'est la première fois que tu en vois une ?

– Oui… Et ces signes, là et là, c'est quoi ?

Guillemot le regarda.

– Ce sont des lettres et des mots. Tu ne sais pas lire ?

– Non.

– Il n'y a pas d'école ici ? continua l'Apprenti.

– Il y en a, mais elles sont rares, et réservées à quelques-uns.

– Tu ne connais pas ta chance… Allez, on repart, annonça Guillemot en rangeant la carte. Ah ! au fait, ajouta-t-il en tendant la main à Kyle, je m'appelle Guillemot.

Ils reprirent leur marche épuisante. Quelques heures plus tard, l'aube s'annonça. Kyle commença à s'agiter.

– Il faut trouver une Bokht, vite, avant que le soleil se lève.

– Une Bokht ? s'étonna Guillemot que les mouvements de panique de son compagnon commençaient à inquiéter.

– Oui, une plaque de roche… Il faut à tout prix en trouver une rapidement, sinon le Désert Vorace nous avalera.

Guillemot remit à plus tard ses questions et aida Kyle dans sa recherche fébrile. Heureusement, celui-ci s'écria bientôt joyeusement :

– Là-bas, j'en vois une !

Ils se précipitèrent en direction d'une pierre grande comme une barque et s'installèrent dessus. Quelques instants plus tard, le soleil fit son apparition. Le sable se mit alors à bruire et à frémir autour d'eux. Sous la large pierre, ils sentirent le désert se creuser. Puis tout redevint stable. En apparence… Guillemot leva sur son ami un regard interrogateur.

– Le Désert Vorace est vivant, expliqua Kyle à un Guillemot abasourdi. Le jour, il avale tout ce qui n'est pas en pierre : êtres vivants, métal, bois ! Mais la nuit, il dort : on peut le traverser sans crainte…

– Et il y a des hommes qui vivent dans cet enfer ?

– Oui, les Hommes des Sables. Simple question d'adaptation.

Ils cessèrent de parler pour économiser leur salive ; ils étaient partis sans eau.

32
Une mauvaise rencontre

– Bon, et maintenant où va-t-on ?

– Laisse-moi regarder la carte… Tes amis nous ont débarqués à peu près ici ; à gauche, la route mène sûrement à Ferghânâ. Je pense qu'il faut la prendre. Après les Collines Mouvantes, il devrait y avoir une bifurcation en direction de Yâdigâr.

Coralie se pencha par-dessus l'épaule de Romaric et jeta un coup d'œil dépourvu d'intérêt à la carte.

– Si tu le dis. Mais dépêchons-nous de bouger : je suis en train de cuire au soleil !

La Sixième Tribu du Peuple de la Mer avait déposé les deux jeunes gens d'Ys sur un bout de la côte est déserté par les Gommons, à bonne distance du territoire de la sinistre Yénibohor. Matsi avait beaucoup pleuré quand Coralie l'avait prise dans ses bras. « Ne te laisse pas marcher sur les pieds sous prétexte que ton père n'est que le gardien des objets : tu vaux ce que tu décideras de valoir », lui avait-elle murmuré.

Romaric s'était contenté de serrer vigoureusement la main de Wal, et de le remercier pour son hospitalité. Ils avaient accompagné de grands gestes d'adieu le départ des radeaux, puis s'étaient dirigés vers l'intérieur des terres, où on leur avait assuré qu'ils trouveraient une route…

– Nous sommes déjà deux, lança Romaric en marchant entre les ornières creusées par le passage de nombreux chariots. Bientôt, nous serons tous réunis ! Pour cela, il suffit de se rendre à Yâdigâr. Tu ne m'as pas dit que le bijou de Thomas t'avait immédiatement semblé la meilleure piste à suivre ?

– Si, je l'ai remarqué tout de suite. Tu sais, j'ai toujours eu un faible pour les bijoux !

Romaric la regarda avec étonnement. Si Coralie commençait à se moquer d'elle-même sans l'aide de personne !

– Après réflexion, reprit-il en tripotant la carte qu'il avait gardée dans les mains, ce bijou est le seul indice que nous possédons tous en commun. Moi aussi j'ai tout de suite pensé à lui. Espérons que ce soit pareil pour les autres !

Ils cheminèrent encore un moment sans dire un mot. Romaric, anormalement grave, semblait troublé. Soudain, il se décida :

– Coralie, je… je ne t'ai pas encore vraiment remerciée de m'avoir sauvé la vie, l'autre jour, avec les méduses… Ce que tu as fait était très courageux. Je ne sais pas si moi je l'aurais fait. En tout cas, je ne l'oublierai jamais.

Coralie rougit légèrement et tourna vers son ami un regard reconnaissant.

– Je suis sûre que tu aurais fait exactement la même chose, à ma place ! Par contre, moi, je pense que je serais incapable de recommencer.

– Ah bon ! Et pourquoi ?

– J'ai une frousse terrible des méduses ! Mais alors, terrible !

– Et tu as plongé quand même ?

Romaric était estomaqué. Le courage dont Coralie avait fait preuve prenait une tout autre dimension ! La jeune fille, flattée, savoura l'admiration qu'elle sentait chez son compagnon. Mais elle ne put s'empêcher d'ironiser :

– Il fallait absolument que je te montre mes nouvelles boucles d'oreilles ! Et comme tu ne te décidais pas à rejoindre le radeau…

– Alors toi, tu es vraiment incroyable !

– Merci ! conclut Coralie en lui faisant un clin d'œil.

Ils ne s'arrêtèrent de marcher qu'à la tombée de la nuit, au pied des Collines Mouvantes.

Romaric alluma un petit feu d'herbes sèches et ils s'assirent autour pour manger les poissons fumés que leur avait donnés Wal à leur départ. Puis ils s'enveloppèrent dans leur manteau de Virdu et se blottirent l'un contre l'autre. Le futur Chevalier du Vent eut du mal à trouver le sommeil.

Ils tombèrent en milieu de journée sur la bifurcation dont avait parlé Romaric : une route filait plein sud. Ils l'empruntèrent.

– Si tout va bien, nous devrions arriver en vue de Yâdigâr dès demain, annonça le garçon.

– Je me demande à quoi peut bien ressembler cette ville !

– Si l'on en croit Wal, à rien d'agréable ! D'après lui, c'est le rendez-vous de tous les vauriens du Monde Incertain.

– Charmant ! Et dire que je pourrais être en ce moment chez moi, sur la terrasse, à siroter un thé glacé ! soupira Coralie.

Le chemin s'engagea au milieu de gorges rocheuses encaissées, et longea le lit d'un ruisseau asséché depuis longtemps. Il n'y avait aucun arbre, aucune plante. Tout était silencieux.

– Cet endroit me donne la chair de poule ! avoua Coralie en jetant autour d'elle des regards inquiets. Dépêchons-nous d'en sortir.

Ils pressèrent le pas.

Tout à coup, un long sifflement emplit le défilé. Deux hommes surgirent des rochers et barrèrent la route aux jeunes gens, en les menaçant de leurs armes. Des brigands ! Le premier, contrefait et de petite taille, brandissait un fléau d'armes et dardait sur Coralie, qui se sentit affreusement mal à l'aise, un œil exorbité ; un filet de bave pendait de sa bouche entrouverte et édentée. Le second, très grand et vêtu d'une fourrure d'ours, vint agiter sa lance sous leur nez.

Ils étaient prisonniers. Romaric serra les poings : sans arme, toute résistance était inutile. Il se laissa attacher les mains et entraver les pieds, tout comme Coralie.

Les brigands prirent un sentier qui grimpait perpendiculairement à la chaussée. Le nain ouvrait la marche et son comparse, qui dégageait une odeur pestilentielle, la fermait.

Ils parvinrent devant une grotte, dont l'entrée était

partiellement dissimulée par un gros bloc rocheux. Ils furent poussés à l'intérieur. Des coffres fermés et cadenassés s'entassaient au fond. Allongé sur un lit de fortune, un homme trapu toussait et crachait du sang qui maculait par endroits sa barbe sombre et épaisse.

Les deux brigands les conduisirent à lui.

– Peuh ! Des gamins… Ont-ils des pierres sur eux ?

– Pas grand-chose, chef, répondit le brigand à la fourrure d'ours. On les a fouillés, et on n'a trouvé que ça…

Il déposa sur le lit de son chef, blessé à la poitrine lors d'une précédente embuscade, une petite poignée de pierres précieuses ainsi qu'un collier en or, un bracelet en argent et deux boucles d'oreilles bleues.

– C'est toujours mieux que rien, commenta le brigand dont le torse couvert de poils noirs était en partie bandé par un linge souillé. On décidera de leur sort demain. Thunku paye cher les filles aussi bien que les garçons.

Le nain émit un ricanement, qui fit frémir Coralie plus que son compagnon.

Les deux amis furent conduits sans ménagements au fond de la grotte où on les ligota complètement.

– Oh, c'est affreux ! gémit Coralie dont le menton tremblait.

– Ça va s'arranger, tenta de la rassurer Romaric. On s'en sortira, je te le promets.

Deux autres brigands paressaient dans la grotte, à l'abri de la chaleur, ce qui portait à cinq, en comptant leur chef alité, le nombre de leurs geôliers. Romaric soupira. C'était beaucoup. Il échafauda des plans d'évasion, qui s'effondraient les uns après les autres. Peut-être qu'à la faveur de la nuit…

Un jeune archer, affreusement maigre et dont le visage était fendu par une vilaine cicatrice, fit irruption dans la caverne, tout essoufflé ; il annonça des voyageurs à l'entrée des gorges.

– Bon, tout le monde en place, décida le chef des bandits. On rançonne encore ceux-là, et demain on décampe. Il y a assez de pierres dans ces coffres pour nous offrir à tous une vie de seigneur !

Sa déclaration fut accueillie par des cris de joie. Les brigands se ruèrent à l'extérieur. Romaric en profita pour essayer de détendre ses liens. Mais ils avaient été ligotés par des hommes qui connaissaient leur affaire, et il ne réussit qu'à s'écorcher les poignets. À côté de lui, Coralie bougea.

– Tu sais, je préfère savoir cet horrible nain loin de la grotte ! souffla-t-elle. Tu as vu comment il me regardait ? J'en ai encore la chair de poule !

– Calme-toi, et essaye de te reposer, lui répondit Romaric. Je suis là. Je te protégerai.

Mais, au fond de lui, il se savait totalement impuissant. Il ne pourrait que hurler, si les brigands décidaient de s'en prendre à son amie. Cette pensée le plongea dans une rage terrible, et il s'acharna encore sur ses liens, une nouvelle fois en vain. Il cessa bientôt de s'agiter et, silencieusement pour ne pas affoler davantage Coralie, il se laissa aller à son désespoir.

33
Des brigands malchanceux

– Ce passage est sinistre.

– Je suis bien d'accord avec toi, musicien.

Le géant au crâne tatoué inspecta les alentours de son regard gris. Les gorges dans lesquelles ils venaient de s'engager ne lui disaient rien qui vaille. Si lui-même avait dû tendre une embuscade à des voyageurs, pour les détrousser ou les assassiner, c'est sans hésiter l'endroit qu'il aurait choisi !

– Tu crois que nous courons un danger ? lui demanda Gontrand en pinçant nerveusement les cordes de sa cithare.

– Ça, petit, c'est mon problème ! Notre accord est clair : toi tu égayes nos veillées avec tes chansons, moi je m'occupe des périls sur notre route.

L'homme des steppes laissa échapper un petit rire. Gontrand passa sa main dans ses cheveux.

Il est vrai que depuis qu'ils avaient quitté la caravane des marchands de Ferghânâ, personne ne leur avait jamais cherché querelle. Il faut dire qu'à la vue de Tofann, on n'avait qu'une envie : ne pas devenir son ennemi !

Un long sifflement retentit dans les gorges. Il n'avait pas fini de résonner que le géant avait disparu comme par enchantement. De sorte que Gontrand fut seul à faire face aux hommes surgis de derrière les rochers. Ceux-ci se regardèrent, inquiets.

– Ils ne devaient pas être deux ? Hé, l'archer !

– J'ai bien vu deux voyageurs à l'entrée des gorges, se défendit le jeune brigand.

– Si tu en as vu deux, continua un manchot qui brandissait une hache au bout de son bras valide, où est passé le deuxième ?

– Il est ici, messieurs !

Comme venant de nulle part, Tofann avait bondi. Il empoigna le crâne du manchot et le fracassa contre la plaque d'acier qu'il portait sur sa tunique de cuir, à l'emplacement du cœur. Rapide comme l'éclair, il sortit ensuite un couteau plat de sa botte, et l'envoya se planter dans la gorge d'un grand échalas qui bascula en arrière sous le choc, brisant dans sa chute son bouclier contre une pierre.

Les autres en restèrent figés de stupeur.

– Passons aux choses sérieuses, maintenant, si vous le voulez bien !

Le géant avait tiré une épée impressionnante du fourreau de métal et de cuir qu'il portait dans le dos. Un mouvement circulaire de l'arme gigantesque faillit décapiter l'archer, qui eut la bonne idée de se baisser au dernier moment. Un autre coup de haut en bas fendit presque en deux l'homme à la fourrure d'ours, moins rapide, qui grogna de douleur avant de s'effondrer sur le sol. L'archer, délaissant son arc peu approprié à un corps à corps, avait dégainé un poignard et faisait bravement face à Tofann. Celui-ci se déplaçait avec agilité. Ses gestes étaient précis, et fulgurants. L'archer avait beaucoup de mal à éviter les coups de son redoutable adversaire. Il tenta quelques bottes, que Tofann déjoua facilement. Finalement, le géant blessa le jeune homme à la main, l'obligeant à lâcher son couteau, puis à la cuisse, lui faisant mordre la poussière. L'archer au sol jeta un regard farouche à Tofann qui, couvert de sang, le toisait de haut, l'arme posée avec nonchalance sur l'épaule. Le contraste entre les deux, accentué par la maigreur extrême de l'un et la formidable musculature de l'autre, était saisissant.

– N'aie crainte, petit. Ce n'est pas dans mes habitudes de frapper un homme à terre. Surtout quand celui-ci s'est bien battu ! Tu as la vie sauve.

Dès le début de l'engagement, Gontrand avait trouvé refuge derrière un rocher et, stupéfait, suivait le déroulement de la bataille. Le jeune archer hors de combat, il ne restait plus désormais en face du guerrier que le nain difforme, qui le regardait avec une indescriptible expression de terreur.

Tofann s'avança sur lui. Le gnome jeta son fléau d'armes et s'enfuit en hurlant. Tofann s'élança à sa poursuite, suivi par Gontrand qui, pour rien au monde, ne serait resté seul avec l'archer au milieu des cadavres.

Tout haletant, le garçon pénétra dans une caverne éclairée par des torches. Tofann avait coincé le fuyard et s'était contenté de lui briser le crâne d'un coup de poing. Il achevait de régler son compte à un homme qui hurlait de rage dans un lit.

– Gontrand ! Ça alors, Gontrand !

Comme électrifié, le joueur de cithare se tourna vers le fond de la grotte. Ligotés contre des coffres, Romaric et Coralie le regardaient comme s'ils avaient vu un fantôme.

– Voilà, c'est ici que l'on se quitte, annonça Tofann aux trois jeunes gens.

Le géant avait tenu à les accompagner jusqu'à la sortie des gorges. Des charognards décrivaient déjà des cercles gourmands au-dessus de l'endroit où avait eu lieu la bataille.

L'archer, qui n'avait été en fin de compte que légèrement blessé, s'était volatilisé.

– Tu es sûr de ne pas vouloir changer d'avis ? essaya de le convaincre encore une fois Gontrand qui se désolait du départ de son ami.

Tofann rit en désignant l'énorme sac qu'il portait en bandoulière.

– Pourquoi irais-je me battre pour quelqu'un, maintenant que me voilà suffisamment riche pour le faire par plaisir ?

Les coffres, ouverts dans la caverne après que Tofann et Gontrand eurent délivré leurs deux amis prisonniers, contenaient un véritable trésor en pierres précieuses et en bijoux. Gontrand, Romaric et Coralie avaient refusé de piocher dans ce qui avait coûté la vie à tant de gens, mais Tofann s'était abondamment servi, puis avait refermé l'entrée de la grotte avec de gros rochers.

– Vous n'avez qu'à suivre la route. Elle conduit droit à Yâdigâr.

– Et si l'on tombe de nouveau sur des brigands, hein ? rétorqua Gontrand.

– C'est votre problème, maintenant, répondit le géant en adoucissant sa voix. Vous n'aurez pas toute votre vie une nounou avec vous !

Coralie comprit devant l'air désespéré de Gontrand qu'il fallait couper court aux adieux. Elle s'avança, se hissa sur la pointe des pieds et embrassa le colosse sur la joue.

– Merci encore de nous avoir sauvés.

Elle repensa à l'intense soulagement qu'elle avait éprouvé lorsqu'il avait assommé le gnome baveux.

Romaric tendit la main à Tofann avec un regard plein de respect et d'admiration à la fois, mais il étouffa une grimace lorsqu'il la lui serra. Tofann était le guerrier absolu, le combattant suprême. Il ne rêvait plus que de lui ressembler un jour ! En moins sauvage peut-être, en plus… chevaleresque !

Enfin, le géant bardé de cicatrices serra Gontrand contre lui dans une affectueuse accolade. Le garçon eut un mal fou à se retenir de pleurer. Il s'était terriblement attaché à cet homme toujours tranquille et de bonne humeur, si fort et si sensible.

Malgré tout son courage, Gontrand sentait bien qu'il n'avait pas envie de voir s'en aller ce personnage rassurant.

Tofann s'arracha doucement à l'étreinte du garçon et s'éloigna, en les saluant longuement.

– Passez me voir chez moi, dans les steppes, si vous vous égarez du côté du Nord Incertain !

Il disparut bientôt dans les gorges. Les trois amis se regardèrent.

– Bon, ben… L'aventure continue, non ? lâcha timidement Gontrand.

– Tu parles qu'elle continue ! confirma Romaric en envoyant une grande claque dans le dos de son ami.

– En route, compagnons ! lança théâtralement Coralie, heureuse de voir que, malgré les épreuves, le courage ne les avait pas abandonnés.

Bras dessus bras dessous, ils prirent la direction de Yâdigâr.

34
Les Hommes des Sables

Un soleil brûlant s'était installé dans le ciel. Les deux garçons, prisonniers de la Bokht, la large plaque de roche qui les protégeait du Désert Vorace, commençaient à ressentir cruellement l'effet de la soif. Guillemot avait tiré de son sac le manteau de Virdu qui était resté en trop, lorsqu'il avait partagé ses affaires avec ses amis à Ys, et il l'avait donné à Kyle pour qu'il s'abrite dessous. Celui-ci, assis les genoux relevés, la tête au creux de ses bras, ne bougeait pas. Guillemot était debout et balayait l'horizon les mains en visière sur le front, pour éviter d'être ébloui par la lumière crue.

– De la visite ! lança-t-il soudain. On dirait que des hommes approchent !

Kyle se dressa d'un bond et fixa le désert dans la direction que lui montrait son ami. En effet, une troupe d'hommes vêtus de bleu et portant de longs fusils se dirigeait droit sur eux.

– Cette fois, on est perdus, grimaça Guillemot. Ce sont sûrement des miliciens de Ferghânâ lancés à notre poursuite !

Kyle resta silencieux.

– Bon sang, et on ne peut même pas quitter cette

pierre ! Pris au piège ! Coincés comme des rats ! Ça te fait rire, toi ? dit Guillemot en colère à Kyle, qui effectivement souriait en regardant son ami s'agiter.

– C'est la perspective de bientôt pouvoir boire qui me réjouit ! lui lança tranquillement le garçon.

– Tu parles, gémit Guillemot. Boire de l'eau dans un cachot, en croupissant et en attendant d'être pendu, moi je n'appelle pas ça une perspective réjouissante !

Les hommes bleus avançaient lentement. Guillemot remarqua leur équipement étrange : un ingénieux système de courroies maintenait leurs pieds sur de larges pierres qu'ils utilisaient comme des raquettes sur la neige et ils s'aidaient dans leur progression avec des bâtons dont les rondelles étaient remplacées par des galets.

– Voilà comment ils font ! s'exclama Guillemot en se frappant le front. Dire que j'ai pensé m'enfuir de la Bokht, il n'y a pas cinq minutes, en les voyant avancer sans se faire engloutir par le sable !

– Cela aurait été une erreur fatale, commenta laconiquement Kyle qui avait l'air de bien s'amuser. Les Hommes des Sables ont leur truc pour se déplacer en plein jour sans être avalés par le désert !

– Ce ne sont pas des marchands de Ferghânâ ? s'étonna l'Apprenti.

– Des marchands ? Dans le Désert Vorace, en plein jour ? Non, tu peux me croire : ce sont des Hommes des Sables ! De la tribu bleue, pour être précis.

Soudain, une excitation s'empara des étranges marcheurs et, tout en tendant le bras dans leur direction et en poussant des cris, ils brandirent leur fusil au-dessus de leur tête.

– Ils vont nous faire du mal ? s'inquiéta Guillemot.

– Je crois bien que non, sourit Kyle.

Kyle ne mentait pas. Le petit groupe d'Hommes des Sables manifesta bruyamment, en sifflant et en criant, leur joie de les avoir découverts ; ils entourèrent le jeune esclave et Guillemot de mille marques d'attention. Guillemot ne parvenait pas à comprendre ce qui leur valait de tels honneurs, mais il remarqua bientôt le respect que tous ces hommes témoignaient à son ami. On leur donna à boire une eau légèrement salée. Puis on les installa sur les épaules des plus robustes de leurs sauveurs, et le groupe se remit en marche. La Bokht qui les avait recueillis fut rapidement hors de vue.

– Je n'ai pas eu l'occasion de te le dire, expliqua Kyle pour répondre à l'étonnement qu'il devinait dans les yeux de Guillemot, mais je suis le fils des chefs de tribus du peuple des Sables !

– Comment ça, le fils des chefs ?

– C'est-à-dire, expliqua Kyle qui s'efforçait, imité par son ami, de bouger le moins possible afin de ne pas déséquilibrer son porteur, que l'on m'a trouvé près d'un de nos puits lorsque j'étais un bébé. Les points d'eau sont sacrés pour mon peuple. Alors les Hommes des Sables ont décidé que c'étaient les dieux qui m'avaient confié à eux et, pour les honorer, ils ont demandé à leur chef de prendre soin de moi... Voilà comment je suis devenu le fils des chefs des trois tribus qui composent mon peuple !

– Ça veut dire que tu ne sais pas qui sont tes vrais parents ? demanda Guillemot.

Kyle s'assombrit. Il répondit d'une voix sourde :

– Non.

– Eh bien, ça nous fait presque un point commun, dit Guillemot sur un ton qui se voulait réconfortant. Enfin, un demi-point : moi, c'est mon père que je n'ai jamais connu…

Cette pensée douloureuse plongea Guillemot dans le silence. Le visage souriant de sa mère lui apparut soudain, et lui rappela brutalement que tout ce qu'il aimait, tout ce qui faisait sa vie, était à des années-lumière de ce désert…

Il fut rappelé à la réalité par son porteur qui se plaignit de son manque d'équilibre.

Quelques heures plus tard, ils parvenaient à un grand campement de tentes, réparties sur une immense Bokht au centre d'une cuvette.

Leur apparition déclencha l'effervescence.

– Pas fâché d'arriver, grommela Guillemot. Ça donne vraiment mal au cœur d'être sur le dos de quelqu'un qui marche en se dandinant !

– Ça ne va pas ? lui demanda Kyle, hilare. Tu es tout blanc !

– Et ton œil, il va être tout noir dans une seconde si tu n'arrêtes pas tout de suite de te moquer de moi !

– Au lieu de te plaindre, pense à celui qui te portait sur ses épaules !

Pendant qu'ils se chamaillaient gentiment, heureux du dénouement de leur aventure, un attroupement s'était constitué autour d'eux. Sortant des rangs, un homme très grand et très maigre, enroulé comme les autres dans une étoffe bleue, prit Kyle dans ses bras et le serra contre lui. Le garçon lui dit quelques mots et l'homme se tourna dans la direction de Guillemot :

– Tu as aidé mon fils à s'enfuir. Ma tribu est ta tribu.

Il avait parlé en ska, d'une voix posée et grave. Guillemot en déduisit qu'il devait être l'un des trois chefs des Hommes des Sables, et par conséquent l'un des trois pères de Kyle. Des hommes, des femmes et des enfants se pressèrent autour de lui et lui firent fête. On le conduisit jusqu'à l'une de ces grandes tentes qui ressemblaient à des huttes. On le fit asseoir, et on lui apporta de quoi manger et boire.

Quelque temps plus tard, Kyle le rejoignit. Ses chaînes avaient été enlevées et il portait le vêtement des Hommes des Sables, à ce détail près que le bleu foncé était accompagné de rouge sang et de blanc.

– Les trois tribus sont miennes, expliqua le garçon qui avait fière allure dans sa nouvelle tenue. C'est normal que je les honore toutes les trois en portant leurs couleurs.

– Bon, maintenant, quel est le programme ?

– Ah ! oui, fit Kyle, s'arrachant à ses pensées. Eh bien, ce soir, la tribu donne une fête en ton honneur.

– Bon, très bien. Mais… est-ce que demain quelqu'un pourra me mettre sur la route de Yâdigâr ? Ne m'en veux pas de jouer le rabat-joie, mais les jours passent et je n'ai que peu de temps.

– Je te conduirai moi-même, le rassura Kyle. Mais je ne sais pas si c'est une très bonne idée. Yâdigâr est assez mal fréquentée.

– Ce n'est peut-être pas une très bonne idée, reconnut Guillemot, mais c'est bien la seule.

– Bah ! on verra ça demain, lui dit Kyle. Pensons plutôt à la fête !

Guillemot convint qu'il avait raison et retrouva son sourire.

– De quoi vit ton peuple ? demanda Guillemot à Kyle qui se trouvait assis à côté de lui sur l'un des petits tabourets de bois et de peau disposés autour de la grande table basse où s'amoncelaient boissons et nourriture.

La nuit était tombée, et la fête, débordant de chaque côté de la Bokht sur le désert endormi, battait son plein. Des filles de leur âge exécutaient des danses du désert. Non loin, sous les encouragements, un homme tirait des sons magnifiques d'une flûte en métal noir.

– Mon peuple vit essentiellement du commerce des Gambouris, ces cristaux pourpres en forme de fleur que l'on trouve dans le sable du désert, répondit Kyle après un moment de silence. Cela lui permet de s'acheter ce dont il a besoin pour subsister. Il peut ainsi poursuivre son existence nomade, de Bokht en Bokht, de point d'eau en point d'eau.

– Je vous envie, soupira Guillemot. Vous avez l'air heureux.

– Tu sais, tout n'a pas toujours été comme cela, reprit Kyle. On raconte chez les Hommes des Sables qu'autrefois, il y a bien longtemps, nos tribus appartenaient à un peuple qui voyageait de Monde en Monde, comme nous le faisons nous de puits en puits. Un jour, les trois tribus, qui alors n'en faisaient qu'une, se trouvaient dans le Monde Incertain. Le Passeur, celui qui savait comment on changeait de Monde, mourut brutalement, emportant son secret avec lui. C'est depuis cette époque que nous serions condamnés à vivre dans ce désert dangereux.

– C'est une belle histoire ! s'emballa Guillemot. Mais est-ce seulement une histoire, ou bien un événement qui s'est réellement passé ?

– Personne ne le sait. Mais nous avons conservé quelque chose de ces temps très anciens : la cérémonie de la Lune Morte. Tu verras ça ce soir, c'est bientôt l'heure. Le cycle a commencé.

Les deux garçons bavardèrent encore un moment. Puis la flûte se tut ainsi que les chants et les rires.

À l'appel de leur chef, les membres de la tribu se levèrent et se regroupèrent sous le ciel étoilé. Ils se prirent tous la main. En tête, la longue silhouette du chef commença à adopter différentes positions que les autres imitaient à tour de rôle. On aurait dit que le cordon humain était animé d'une vie propre, comme un serpent. Puis l'homme se mit à entonner une mélopée sourde, avec des mots que plus personne ne comprenait depuis longtemps, ainsi que Kyle l'avait avoué. L'étrange rituel dura une dizaine de minutes, puis chacun retourna à ses occupations et la fête reprit.

– C'est notre façon à nous de ne pas tout oublier du lointain passé, expliqua Kyle en reprenant sa place sur le tabouret.

Mais Guillemot ne l'écoutait plus.

Il avait ouvert son carnet à la couverture de cuir noir, et il notait fébrilement tout ce qu'il avait vu et entendu lors de la cérémonie.

35
Yâdigâr

Tôt le lendemain de la fête, encore engourdi par le sommeil, Guillemot grimpa sur les épaules d'un marcheur du désert et se mit en route, escorté par quelques hommes de la tribu bleue et par Kyle, comme les autres, chaussé de raquettes de pierre.

– Beurk ! grimaça l'Apprenti qui supportait mal les balancements imposés par la démarche de son porteur.

– Tu n'aurais pas dû boire tant de cidre de pommes aigres, hier, se moqua Kyle.

– Fiche-moi la paix ! râla le garçon, le visage grimaçant.

Ils progressèrent pendant plusieurs heures. Les Hommes des Sables étaient rapides et leurs raquettes de pierre, qui réclamaient pour s'en servir une grande habileté, faisaient merveille sur le sable mouvant. Enfin, ils rejoignirent la Route de Pierre, constituée de gigantesques pavés, et se trouvèrent du même coup en vue de Yâdigâr.

– Voilà, lui fit Kyle. Nous, nous n'irons pas plus loin. Rappelle-toi : les Hommes des Sables sont liés par un pacte avec Yâdigâr : à nous le Désert Vorace, à la cité de Feu ce qu'il y a au-delà et la Route de Pierre !

Guillemot, descendu de sa monture improvisée, s'approcha de lui.

– Kyle, merci, merci pour tout.

– Merci à toi, plutôt ! répondit le fils des chefs avec un sourire éclatant. C'est toi qui m'as délivré, tu te rappelles ?

Ils s'étreignirent.

– Tu pourras toujours compter sur moi, ajouta Kyle en devenant grave. Toujours, et pour n'importe quoi.

– Merci pour ton amitié, dit Guillemot d'une voix étranglée. Est-ce que nous nous reverrons ?

– Peut-être. Qui peut savoir ?

– Je l'espère sincèrement, Kyle.

Les deux garçons étaient aussi émus l'un que l'autre. Kyle sortit de la besace d'un de ses hommes le manteau de Virdu que Guillemot lui avait donné, sur la Bokht, pour se protéger du soleil.

– Tiens, il est à toi, reprends-le. Un manteau de Virdu, ça vaut cher !

– Garde-le, Kyle. Comme ça, tu penseras à moi chaque fois que tu le porteras !

Kyle eut un sourire éblouissant. Guillemot ne pouvait se résoudre à le quitter, lui et les Hommes des Sables. Mais Yâdigâr était sa seule chance de retrouver ses amis. Il soupira et rabattit sur sa tête la capuche de son propre manteau, puis s'avança sur la voie qui semblait surgie de nulle part au milieu des sables. Il agita la main en direction des hommes bleus qui allaient regagner le désert et adressa à Kyle un dernier regard.

Guillemot n'était pas le seul à se rendre à Yâdigâr. Des bandes d'Orks et d'hommes en armes côtoyaient sur la route, de plus en plus encombrée à mesure qu'il s'approchait de la ville, des marchands aux chariots pleins. Ceux-ci repartiraient sans doute avec le produit des rapines de Thunku, qu'ils écouleraient à Ferghânâ ou ailleurs.

L'Apprenti Sorcier essayait de se faire tout petit et s'enfonçait du mieux qu'il le pouvait dans son grand manteau gris.

Au moment de franchir l'unique porte de la ville forte, surmontée de la statue de l'énorme lion entouré de flammes figurant sur le médaillon de l'Ork, il se fit apostropher par un garde en tout point semblable à celui qui l'avait presque rançonné, à l'entrée de Ferghânâ : d'apparence humaine, mais si monstrueux qu'il semblait avoir été croisé avec un Ork.

– Hé, toi ! Le Petit Homme de Virdu ! Viens avec moi !

Guillemot se pétrifia, saisi de stupeur. Finalement, il reprit ses esprits et répondit de sa voix la plus grave :

– Qu'est-ce qui se passe ?

– Ne te fous pas de moi, nabot ! Comme si tu ne savais pas que le Seigneur Thunku avait interdit l'accès de sa ville à ceux de ton peuple ! Allez, suis-moi.

– Écoutez, il doit y avoir un moyen de s'arranger, ou de…

Guillemot ne put rien dire de plus : le garde moitié homme moitié Ork avait sorti sa large épée crantée de son fourreau et l'avait mise sous sa gorge.

– Ça va, ça va, je vous suis !

Se plaçant derrière lui, l'épée toujours menaçante, le garde le guida à travers Yâdigâr en direction d'un grand bâtiment qui dominait la cité.

Yâdigâr était aussi étendue que Ferghânâ, sa sœur jumelle, mais s'en distinguait par bien des côtés. Sur les murs d'enceinte, parfaitement entretenus, des gardes armés jusqu'aux dents montaient une garde vigilante ; aucun esclave n'aurait eu la moindre chance de s'enfuir de la ville ! Une ville grouillant d'hommes de guerre, de mercenaires venus offrir leurs services ponctuels au maître de la cité. Des bagarres éclataient régulièrement entre eux, dans les rues ou dans les nombreuses tavernes où ils traînaient lorsqu'ils étaient désœuvrés. Guillemot constata cela d'un œil inquiet, et se félicita presque de bénéficier de l'escorte du monstre qui l'avait arrêté. Pas de cracheurs de feu, de faux magiciens ni de bijoutiers à Yâdigâr : la cité était dévolue à la violence et à la guerre, et le seul commerce qu'on y faisait était celui des armes et du produit des pillages !

Le bâtiment imposant où fut conduit Guillemot cumulait plusieurs fonctions. La partie visible, sur plusieurs étages, respirait le luxe poussé à son extrême, et ressemblait à une caricature de palais oriental. La partie cachée où on l'entraîna, qui s'étendait au sous-sol sur plusieurs niveaux, s'apparentait davantage à des catacombes.

On ouvrit pour lui une épaisse porte ferrée, et on lui fit prendre un couloir humide jusqu'à une cellule dotée de lourds barreaux, où il fut jeté.

36
Prisonniers

Guillemot mit un moment à s'accoutumer à l'obscurité régnant dans la vaste pièce voûtée. Il concentra d'abord son attention sur les barreaux de la porte, puis sur les murs, épais, luisants d'humidité et couverts par endroits d'une mousse noirâtre.

Il se rendit vite compte que les possibilités d'évasion étaient nulles. À ce moment-là seulement, il s'aperçut qu'il n'était pas seul dans le cachot : dans le fond, debout ou assis sur un bat-flanc, plusieurs personnes, réparties en petits groupes, observaient en silence le nouvel arrivant.

– Quand je vous disais que Yâdigâr était un bon plan pour tous se retrouver ! lança une voix joyeuse.

Guillemot reconnut avec stupeur la voix de Romaric, qui s'avançait vers lui, suivi de silhouettes tout aussi familières.

– Romaric ! Gontrand ! Coralie ! Ambre !

En riant de joie, il se précipita dans leurs bras.

– Ça alors ! C'est formidable ! C'est formidable !

– C'est miraculeux, oui, bougonna Ambre après avoir serré Guillemot plus fort que les autres dans ses bras. Qu'est-ce qui s'est passé lors du Passage, avec la Porte ?

– Je vous expliquerai… L'essentiel, c'est que vous soyez tous sains et saufs !

– Eh bien, c'était limite, objecta Gontrand en levant le doigt. Si tu savais où j'ai atterri ! Au sommet d'une tour gigantesque qui…

– Et moi, alors ? l'interrompit Coralie, les poings sur les hanches. Tu crois que c'était mieux de se retrouver sur un radeau pourri au milieu d'immondes méduses ?

– Au milieu d'immondes méduses ! minauda Gontrand en l'imitant.

– Si je peux me permettre… tenta Romaric.

– Et notre capture par les brigands, hein ? C'était une plaisanterie, peut-être ! continua Coralie sans prêter attention à son ami.

– Parlons-en de tes brigands, répliqua Gontrand. Si je n'avais pas été là…

– Si tu n'avais pas été là ? Quelle audace ! C'est Tofann qui nous a sauvés ! Remarque, si tu t'étais mis à jouer de ta cithare, je ne dis pas…

– Du calme ! cria Guillemot pour se faire entendre. Je crois qu'on a tous beaucoup de choses à se raconter.

– Ouais, dit Ambre. Les autres peut-être, mais moi, il ne m'est rien arrivé de particulier. Rien, à part d'atroces migraines.

– Nous aussi on a la migraine… à force de t'entendre te plaindre ! la railla Romaric.

– Je vais t'en donner, moi, de bonnes raisons d'avoir la migraine ! annonça la jeune fille en s'avançant vers lui.

– Hé ! les gars, faites quelque chose ! gémit Romaric qu'Ambre avait attrapé par le col.

Guillemot se précipita vers eux, faisant mine de les séparer. Qu'il était bon de se retrouver !

L'Apprenti remarqua alors qu'un jeune garçon, habillé de couleurs vives, se tenait timidement en retrait.

– J'oubliais, corrigea Romaric en se mettant à parler ska. Voici Toti. Il ne nous lâche plus depuis notre arrivée dans la prison. Il faut dire que tous les autres sont des adultes, de plus pas très sympathiques.

– Il est très bien, ce garçon, intervint Coralie.

– On n'a jamais dit le contraire, soupira Ambre. Mais nous, on ne le dévore pas des yeux comme toi !

– C'est ce costume, il lui donne ce que vous n'avez pas : un air distingué, expliqua Coralie.

– Heu, merci, répondit Toti un brin gêné, davantage par les sourires moqueurs que lui décochaient Romaric et Gontrand que par la remarque de Coralie.

– Pourquoi es-tu là ? lui demanda Guillemot.

– J'étais serviteur dans le Palais du Seigneur Thunku. J'avais faim, j'ai volé une pomme et on m'a attrapé, dit tranquillement le prisonnier.

– C'est affreux ! s'exclama Coralie.

– Oh ! j'ai de la chance. Beaucoup de prisonniers ne savent même pas pourquoi ils sont là.

– Sais-tu ce qui va se passer pour nous ? lui demanda Romaric.

– Non. J'imagine que l'officier principal de la prison viendra vous voir quand il en aura le temps ou l'envie.

– Charmant ! commenta Ambre. Et en attendant ?

– On pourrait commencer par se raconter nos aventures, proposa de nouveau Guillemot.

– Bonne idée ! acquiesça Coralie. Allons nous asseoir dans un coin.

Guillemot, Ambre et sa sœur se dirigèrent au fond du cachot en discutant avec animati,on. Toti, Gontrand et Romaric les rejoignirent.

– … Quand, après l'épisode des gorges, nous sommes arrivés tous les trois à Yâdigâr, conclut Gontrand qui, après Guillemot, Coralie et Romaric, avait entrepris le récit de ses tribulations, nous avons bien regretté de ne pas avoir écouté Tofann jusqu'au bout ! Sur ses conseils, on s'était débarrassés de nos manteaux de Virdu…

– Et vous avez bien fait ! confirma Guillemot. Les Petits Hommes ne sont pas franchement les bienvenus à Yâdigâr !

– Oui, poursuivit Gontrand, mais Tofann nous avait également suggéré de prendre avec nous quelques pierres précieuses, dérobées aux brigands ; et ça, on ne l'a pas fait. Parce qu'on ne voulait pas devenir à notre tour des voleurs. Résultat : à la porte, on n'a pas pu payer le droit d'entrée, et on s'est retrouvés au cachot, comme de vulgaires malfrats !

– À vous dégoûter de vouloir rester honnête, grommela Romaric.

– À toi, Ambre, commanda Guillemot.

– Bof, moi, il ne m'est rien arrivé d'extraordinaire, avoua la jeune fille avec une moue désappointée. Je me suis retrouvée, toute seule, à côté d'une Porte, allongée dans l'herbe. Je me sentais très faible. Mes jambes n'arrivaient pas à me porter. Je me rappelle avoir pensé que ce n'était pas simple de passer d'un Monde à l'autre ! J'avais un poids sur l'estomac, la langue pâteuse…

– Décris-nous l'endroit où se dressait la Porte, lui demanda Guillemot.

– Elle était au fond d'un vallon. Tout autour, il y avait des collines couvertes d'herbe, à perte de vue. J'ai sorti ma carte du Monde Incertain, et je me suis dit que j'étais sûrement dans les Collines Mouvantes.

– C'est étrange, avoua Guillemot, troublé. C'est par cette Porte que je suis arrivé moi aussi. Mais tu n'étais pas là, ça, j'en suis sûr !

– Toi non plus tu n'étais pas là. Je me disais : je suis toute seule, ce n'est pas normal, c'est encore une bêtise de Guillemot ! Mais surtout j'avais un mal de crâne terrible. Je crois bien que je me suis endormie un bon moment. Je me rappelle avoir rêvé de chevaux, et d'une longue cavalcade. Ensuite, j'ai pu me lever et j'ai marché au hasard, assez longtemps. Lorsque j'ai quitté les collines, je suis tombée sur une caravane de marchands. Ils m'ont attrapée et ligotée. Je n'ai rien pu faire. J'étais complètement épuisée ! Pourtant, ce n'est pas mon genre.

– On confirme, dirent ensemble Romaric et Guillemot.

– Puis, continua Ambre en haussant les épaules, ils m'ont attachée dans un chariot. J'ai entendu le conducteur dire à un autre que j'allais être vendue comme esclave à un certain Thunku, à Yâdigâr, qui les paierait bien. Cela ne m'a fait ni chaud ni froid ! Je n'avais qu'une envie : dormir. Et c'est ce que j'ai fait jusqu'à ce qu'on m'abandonne ici.

– Essayons de récapituler, proposa Guillemot après un long moment de silence. Toi, Gontrand, tu es arrivé dans une ville déserte, au sommet d'une tour mystérieuse, remplie de bouquins et d'instruments de sorcellerie… Au fait, bravo pour ton évasion !

– Poussé par la peur, on arrive à faire des choses incroyables, répondit modestement Gontrand. Maintenant, je comprends mieux ce que tu as enduré en t'échappant du monastère de Gifdu !

– Oui… Bon. Est-ce qu'il y a autre chose, Gontrand ? poursuivit Guillemot.

– Non. À part que cette ville déserte est celle de Djaghataël, à en croire la carte du Monde Incertain. Et que j'ai tout de suite eu un mauvais pressentiment au sujet de cette tour. Un pressentiment qui m'a aidé à trouver le courage de m'enfuir !

– Toi, Coralie, continua Guillemot, tu t'es retrouvée sur un radeau appartenant au Peuple de la Mer. Romaric t'y a rejointe plus tard.

– Le plus facilement du monde, ironisa Romaric.

– Coralie nous a raconté ce qu'elle savait de ce Peuple de la Mer. Romaric, tu as parlé aussi de prêtres.

– Les prêtres de Yénibohor, que tout le monde semble craindre dans le Monde Incertain, confirma-t-il.

– Craindre et détester aussi, précisa Coralie. Ça a un rapport avec des enlèvements d'enfants.

– Eh bien, si Agathe s'est fait enlever par les prêtres de Yénibohor, on n'est pas sortis de l'auberge, soupira Gontrand.

– Rien n'est moins sûr, intervint Guillemot : le bijou de l'Ork a un rapport direct avec Yâdigâr.

– Et moi ? questionna Ambre frustrée de n'avoir rien eu d'intéressant à raconter à ses amis. Pourquoi est-ce que je suis la seule à avoir passé mon temps à dormir, et la seule à avoir eu mal à la tête au cours du passage ?

– Ça reste un mystère, convint l'Apprenti. Comme d'ailleurs le fait que tu sois arrivée par la même Porte que moi, mais pas en même temps, puisque nous ne nous sommes pas vus.

– J'ai l'explication pour le mal de crâne : peut-être que s'il était plus plein… se moqua Gontrand.

– Arrêtez, c'est pas le moment ! tenta de les raisonner Romaric tandis qu'Ambre martelait de coups de poing l'impertinent.

– Chut ! Calmez-vous ! intervint Toti que la petite bande avait volontairement tenu à l'écart en discutant dans la langue d'Ys. L'officier principal arrive !

Le bruit de serrures et la lueur d'une torche à l'autre bout du couloir confirmèrent l'avertissement du page. Tous retinrent leur souffle.

37
Le Commandant Thunku

Un garde ouvrit la porte de leur cachot. Il était accompagné de deux hommes. L'un, habillé luxueusement, fort et l'air suffisant, devait être l'officier principal en charge de la prison. L'autre, plutôt inquiétant, ne ressemblait pas à un soldat ; le crâne rasé, les yeux perçants comme ceux d'un oiseau de proie, il était vêtu d'une bure blanche qui lui donnait l'allure d'un moine.

Il s'adressa aux adolescents, en pointant dans leur direction une main sèche et maigre à laquelle manquait un doigt.

– Vous, les gosses ! Suivez-moi.

Ils ne réagirent pas, attendant tous de connaître la décision de Guillemot.

– Vous avez entendu ? cria le garde en frappant les barreaux avec le manche de sa masse d'armes. Obéissez aux ordres de Son Excellence, le Conseiller de notre Commandant Thunku !

Guillemot soupira et, imité par les autres, accepta de suivre l'homme au crâne rasé hors de leur geôle.

– Adieu, prince des voleurs, murmura un peu théâtralement Coralie à Toti lorsqu'ils passèrent devant lui.

Les autres se contentèrent d'une poignée de main,

d'une tape amicale sur l'épaule et d'un : « Courage ! » qui semblait s'adresser autant à eux-mêmes qu'au page.

Puis ils s'engagèrent à la suite du Conseiller, de l'officier et du garde dans d'interminables couloirs.

– Prince des voleurs… Eh bien, ma p'tite, tu n'y es pas allée de main morte, chuchota Ambre.

– C'est curieux, ajouta Romaric, il me semble que notre page avait l'air soulagé de nous voir partir !

– Vous êtes des idiots, répliqua Coralie en haussant les épaules.

Gontrand, lui, était préoccupé. Il était sûr d'avoir déjà vu quelque part cet homme à l'allure de rapace. Il fit des efforts de mémoire, puis renonça, en secouant la tête. C'était impossible puisqu'il n'était jamais venu à Yâdigâr…

Ils débouchèrent bientôt à la lumière du jour, et furent conduits dans une très grande salle, au cœur du Palais.

– Voilà donc les espions découverts par mon très perspicace Conseiller ! ricana depuis l'énorme fauteuil en bois sculpté, sur lequel il trônait, Thunku, le maître de Yâdigâr.

Le Commandant Thunku était une force de la nature, qui arborait sur le visage et sur les bras couverts de poils les marques de nombreux combats. À le voir pour la première fois, on comprenait sans peine que ce n'était pas par amour que lui obéissaient ses hommes, et qu'il devait être prompt à briser le crâne des récalcitrants ! Il émanait de la brute une assurance formidable, et sa voix résonnait contre les murs à la façon du tonnerre.

– Si vous me disiez un peu ce qui vous amène par ici ? continua le Commandant dont les petits yeux noirs se plissaient en regardant les adolescents qui n'en menaient pas large.

Ils gardèrent le silence. Coralie frémit sous le regard de la brute et, comme les autres, attendit que Guillemot prenne la parole. Celui-ci réfléchissait désespérément au moyen de sortir de ce mauvais pas.

– Allons, ce manque de confiance m'attriste ! Et cela me peinerait encore plus d'avoir à vous abandonner aux mains expertes de mon Conseiller. Vous savez ce qu'il faisait avant de se faire appeler Excellence ? Il torturait les hérétiques à Yénibohor !

Les propos de Romaric et de Coralie au sujet des prêtres de Yénibohor étaient présents à leur esprit, et ils ne purent s'empêcher de jeter un regard inquiet en direction de l'homme qui se tenait en retrait, sur un des côtés du trône. Guillemot respira à fond et s'adressa à Thunku.

– En réalité, nous appartenons à la tribu bleue des Hommes des Sables. Nous sommes venus jusqu'ici, contre l'avis de notre chef, pour acheter de nouvelles armes.

Thunku eut un petit rire et secoua la tête.

– C'est toi le chef du groupe ? Comment t'appelles-tu ?

– Je m'appelle... Elyk.

– Eh bien, Elyk, je ne crois pas un mot de ton histoire.

Le ton du Commandant s'était fait plus dur.

– J'ai même ma petite idée sur qui vous êtes en réalité, et sur ce que vous venez chercher, sous des déguisements grotesques et des prétextes idiots. Vous croyez que des gamins du Monde Incertain se risqueraient à

Yâdigâr ? Vous en avez vu combien, des gamins, dans ma ville ? Allez, amenez-moi la fille ! ordonna-t-il aux gardes en faction près de la porte.

Quelques instants plus tard, deux hommes revinrent en tenant au bout d'une corde une fille aux cheveux sombres et aux yeux cernés d'avoir trop pleuré. Lorsqu'elle arriva dans la salle d'audience et qu'elle aperçut Guillemot, elle se figea de surprise.

– Guillemot ? s'écria-t-elle. Guillemot, c'est toi ? Mais… comment ?

Devant eux, pâle, amaigrie et fatiguée, se tenait Agathe de Balangru !

– Bonjour, l'idiote, marmonna Ambre, pour elle seule ; maintenant, tout est foutu.

Sur son trône, Thunku éclata d'un rire tonitruant.

– Alors, Elyk, ou devrais-je plutôt dire Guillemot ? Maintiens-tu toujours ton histoire ridicule ? Si ce n'est pas touchant, quand même ! Cette bande de gosses, qui débarque du Monde d'Ys pour venir au secours de cette misérable !

Il rit de plus belle.

– Vous savez quoi ? Lorsque mon Gommon a ramené de chez vous cette fille à la place du garçon aux pouvoirs extraordinaires, celui qui m'en avait donné l'ordre a failli s'étrangler de rage ! Il m'a bien fait payer cette erreur d'ailleurs, puisqu'il me l'a laissée ! J'ai bien essayé d'en faire une servante acceptable, mais elle est incapable de cuisiner correctement ou de faire convenablement briller une armure ! Qui en voudrait ?

Il porta son regard sur Agathe qui pinçait les lèvres, aussi vexée par les paroles du Commandant que par le sourire ravi d'Ambre. Puis il dévisagea Guillemot avec intérêt.

– Une douzaine d'années, les yeux verts, l'air plus malin que les autres… Est-ce que j'aurais de la chance enfin ? Tu vois mon garçon, je crois que je vais faire un heureux : l'homme qui te cherche activement depuis quelque temps. Et un autre heureux car, pour te livrer à lui, je vais exiger beaucoup ! Par exemple de pouvoir faire passer, non plus selon ses caprices mais selon les miens, mes hommes d'un Monde à l'autre, pour varier un peu les plaisirs du pillage !

Soudain il y eut un bruit terrible, comme celui d'une explosion. On entendit des cris et le vacarme d'une lutte. Puis la porte de la salle vola en éclats. Poursuivi par des hommes et des Orks en armes, un homme de haute taille, les vêtements poussiéreux, fit irruption.

Le sang de Guillemot ne fit qu'un tour.

– Maître Qadehar ! s'écria-t-il.

– Azhdar le Démon, lâcha Thunku, stupéfait.

38
Guillemot se fâche

– Guillemot, tu vas bien ? demanda Qadehar qui avait rejoint son Apprenti au pied du trône et qui tenait les soldats à distance en les menaçant de ses mains ouvertes.

– Oui, Maître ! Comme je suis content de vous revoir !

– Moi aussi, petit, moi aussi. Remercie les dieux des Trois Mondes que Thomas ait suivi tes instructions à la lettre ! Et que le délai que tu lui avais imposé se terminât avant-hier !

Instinctivement, Romaric, Gontrand, Coralie, Ambre et Agathe, que les gardes avaient laissés filer pour tenter de repousser l'assaut du Sorcier, se regroupèrent autour de Qadehar.

Derrière eux, Thunku s'était levé de son trône. Il avait l'air vraiment furieux.

– Maudit démon ! Tu viens me défier jusque dans mon palais ! Tu vas le regretter !

Dans un rugissement, Thunku plongea depuis l'estrade sur Qadehar qui, surpris, n'eut pas le temps de réagir avec une passe magique. Les deux hommes roulèrent au sol. Le Sorcier se protégeait comme il le pouvait des coups qui pleuvaient sur lui. Mais le déséquilibre des forces était trop grand.

Leur ennemi à terre et impuissant, les Orks et les gardes s'approchèrent en exultant.

– Fuyez ! leur cria Qadehar.

– Attrapez-les ! hurla Thunku qui avait immobilisé le Sorcier dans une étreinte puissante.

Des Orks bondirent dans leur direction.

– Fais quelque chose, Guillemot, le supplia Romaric.

– Oui, vite, s'il te plaît ! renchérit Coralie en se tordant les mains. Je n'ai pas envie de passer ici le reste de ma vie comme esclave, à passer le balai et à astiquer des armures !

Guillemot respira profondément et ferma les yeux. Il fallait qu'il agisse. Il s'était juré, après la mésaventure de Ferghânâ, dont il n'avait soufflé mot à personne, de laisser les Graphèmes tranquilles. Maintenant, il n'avait pas le choix. Il les appela en lui avec réticence. Comme lorsqu'il s'était réfugié sous le chariot du faux magicien, aucun ne se manifesta spontanément. Que fallait-il faire ? À côté de lui, Gontrand hurla : un Ork venait de l'attraper par le bras.

– Fais quelque chose, je t'en supplie, l'implora encore Romaric qui avait évité de justesse un violent coup d'épée.

Derrière lui, il entendit Qadehar gémir de douleur. Il se sentit alors envahi par une grande colère. Dans un intense effort de volonté, il obligea les Graphèmes à se mettre en rang dans son esprit. Deux choses lui furent confirmées : d'abord, les Graphèmes n'avaient pas leur silhouette ordinaire, ils étaient si déformés qu'il avait du mal à les reconnaître ; ensuite, comme l'autre fois, Thursaz essayait de se tenir en retrait.

– C'est toi que je veux, mon gaillard, murmura-t-il pour lui-même entre ses dents. Allez, viens, je t'appelle. Ne me résiste pas. Et inutile d'envoyer Isaz à ta place !

– Qu'est-ce que tu dis ? lui demanda Ambre qui ne l'avait pas quitté depuis le début de l'échauffourée, et qui tenait un Ork à distance avec une lance ramassée à terre.

Mais Guillemot ne l'écoutait pas. Les yeux toujours fermés, il avait réussi à mobiliser *Thursaz*, qui, anormalement ventru, tremblotait comme la flamme d'une bougie près de s'éteindre. Au moment où Coralie hurlait, prisonnière des bras d'un hybride monstrueux, il invoqua le Graphème :

– *Thuuursaaaaz !*

Tout le monde se figea d'un seul coup. Dans les profondeurs du sol naquit un terrible grondement. Les gardes pâlirent, lâchèrent leurs armes, les Orks abandonnèrent leurs prisonniers pour se lancer dans une fuite éperdue. Thunku lui-même desserra sa prise et, le temps de jeter un regard étonné sur Guillemot et de lever le poing en direction de Qadehar, il partit à toutes jambes.

– Vite, les enfants, dit le Sorcier qui se redressait avec l'aide de Romaric, il faut quitter le bâtiment.

– Mais qu'est-ce qui se passe ? Qu'est-ce que j'ai fait ? lui demanda Guillemot angoissé.

– Tu as lancé un sort qui, normalement, parvient dans le meilleur des cas à arrêter un Gommon en pleine course. Jeté par toi et ici, dans le Monde Incertain, il a provoqué la rupture du nœud tellurique qui passe sous le Palais de Thunku.

– Et que va-t-il se passer ? s'inquiéta l'Apprenti.

– Un tremblement de terre. Vite, filons !

Le grondement s'amplifiait. Ils filèrent du plus vite qu'ils le purent. Les murs commençaient à se lézarder, le sol à trembler.

– Vite, vite ! Pressons ! les encouragea Qadehar qui avait pris dans ses bras Agathe, gênée par la corde qui l'entravait.

– Ahhhh ! cria Coralie en sentant une plaque de marbre, qui s'était détachée du plafond, la frôler.

Juste derrière, un garde hurlait, les jambes broyées par une colonne monumentale qui avait basculé dans un fracas épouvantable.

Guillemot trébucha contre une tenture et tomba au bord d'une énorme crevasse dont on avait du mal à apercevoir le fond. Ambre, qui suivait l'Apprenti comme son ombre, l'attrapa par les épaules, le souleva et le tira en arrière.

– Merci !

– Plus tard ! Dépêchons-nous !

De son côté, Romaric avait fort à faire avec Coralie, qu'il tirait par la main, et Gontrand, qu'il exhortait à avancer, au milieu des débris et des pans de mur écroulés. Un Ork disparut en grognant dans une fissure, à quelques pas d'eux.

– Par là ! hurla Qadehar qui ouvrait le chemin.

Des craquements effroyables accompagnaient la destruction du bâtiment, comme si quelque chose de gigantesque se déchirait dans les tréfonds de la terre.

– Et c'est moi qui ai fait ça, c'est moi ! se répétait Guillemot en se jurant, s'il sortait vivant, de ne plus jamais faire usage des Graphèmes dans ce Monde vraiment incertain.

– Encore un effort, les encouragea le Sorcier, on y est presque !

Devant eux, une paroi éventrée laissait passer la lumière du soleil ; ils coururent de plus belle.

Ils débouchèrent du Palais au moment même où celui-ci s'effondrait complètement, sous les yeux stupéfaits des gardes et de la population massée dans les rues, et se faufilèrent discrètement entre deux immeubles.

– Suivez-moi, leur ordonna le Sorcier. Le temps qu'ils se ressaisissent, nous aurons toute la ville à nos trousses.

Qadehar les entraîna dans un dédale de ruelles. Il confia Agathe aux bras de Gontrand et de Romaric, et prit la tête du petit groupe. Derrière lui, Guillemot attendait les reproches de son Maître.

– Guillemot ! explosa Qadehar, Guillemot !

Il marchait à vive allure, et le garçon, comme ses compagnons, devait parfois courir pour le suivre.

– Te rends-tu compte de ce que tu as fait ? Utiliser un pigeon et le sceau de la Guilde pour des fins personnelles ! Quitter Gifdu, de cette façon, comme un voleur ! Ensuite, ouvrir la Porte du Monde Incertain et y entraîner tes amis !

Guillemot était livide. Mais Qadehar se calma, et laissa même un sourire naître sur ses lèvres.

– Si Thomas ne m'avait pas décrit très exactement le sortilège d'ouverture des Portes, je crois bien que je l'aurais pris pour un fou ! Notre Grand Mage en est resté bouche bée !

Guillemot sentit que les remontrances étaient terminées.

– Maître, il fallait que je le fasse. Je ne sais pas pourquoi, mais il le fallait.

Qadehar ne l'écoutait pas et fronçait les sourcils, comme si quelque chose l'ennuyait.

– Ce qui m'étonne, Guillemot, c'est que le sortilège ait fonctionné normalement. Tu as pourtant oublié d'inclure *Wunjo* dans ton *Galdr*.

Guillemot toussota.

– Heu, justement, Maître, à ce sujet…

– Nous en reparlerons plus tard, mon garçon, coupa le Sorcier. Pour l'instant, seul compte le fait de vous avoir tous retrouvés, sains et saufs.

Qadehar s'arrêta devant une porte basse. Il choisit une clé au milieu d'un trousseau fourni qu'il sortit de sa sacoche, et la glissa dans la serrure.

– Nous autres Poursuivants sommes bien obligés d'avoir des caches un peu partout, expliqua le Sorcier au petit groupe interdit. La Porte de ce Monde est si loin de tout !

Ils pénétrèrent dans une salle sans fenêtre. Qadehar referma la porte derrière lui et alluma une lampe à huile.

– Ici, nous sommes en sécurité pour quelque temps.

– Combien de temps ? demanda Guillemot.

– Tout dépend du désir qu'aura Thunku de nous retrouver, répondit Qadehar sur un ton désabusé. Et pour t'avoir, il remuera terre et ciel !

– Mais pourquoi ? gémit l'Apprenti.

– Quelqu'un te veut, mon garçon, et y mettra le prix… Je te l'ai déjà dit : la magie est puissante en toi ! Et toute puissance excite la convoitise. Y compris celle d'une créature comme l'Ombre, qui est sans nul doute à l'origine de ton enlèvement !

Guillemot ne répondit pas. Même s'il savait, pour l'avoir entendu à Gifdu dans la bouche même du Grand Mage, que l'Ombre en avait après lui, il n'était pas convaincu par cette seule explication. Mais son Maître ne lui dirait rien de plus, c'était certain. Aussi garda-t-il ces pensées pour lui et se tourna-t-il vers ses compagnons, soulagés autant que lui d'être sains et saufs. Qadehar, pendant ce temps, réfléchissait, et la tension se lisait sur son visage.

– Ben dis donc, mon cousin, quand tu t'énerves, toi, tu t'énerves ! lança Romaric à Guillemot en lui donnant une claque sur l'épaule.

– Tu sais quoi ? renchérit Gontrand. Dans ces moments, tu as un petit quelque chose du barde gaulois Assurancetourix !

– C'est censé être un compliment ? s'enquit Guillemot.

– Venant d'un musicien, je n'en suis pas sûr ! intervint Romaric.

Ils plaisantèrent encore un moment comme cela, tous les trois.

Pendant ce temps, Agathe se libérait de la tension nerveuse accumulée durant de trop longues semaines, en pleurant sur l'épaule de Coralie. Ambre oublia l'antipathie que lui inspirait cette fille et la réconforta de quelques mots. Puis, lorsque Agathe s'assoupit, épuisée, la petite bande se regroupa autour de Qadehar.

39
Illumination

– C'est incroyable ! Alors comme ça, il y a plusieurs Portes dans le Monde Incertain ?

– Oui, Maître, confirma Guillemot. En tout cas, au moins cinq : l'officielle, celle par laquelle vous êtes arrivé, dans les Îles du Milieu. Celle des Collines Mouvantes, où l'on s'est retrouvés Ambre et moi. Celle sur le radeau du Peuple de la Mer où est arrivée Coralie. Celle de la plage proche de Yénibohor où a atterri Romaric. Et, enfin, celle de la tour de Djaghataël, d'où Gontrand s'est échappé.

– Très intéressant, fit le Sorcier pour lui-même avant de se tourner vers ce dernier. Et tu dis, Gontrand, qu'une pièce de cette tour était pleine de livres et d'instruments étranges ?

– Oui, Maître Qadehar, acquiesça le jeune musicien.

– Très intéressant, répéta Qadehar. Y a-t-il autre chose ?

– Mes maux de tête ! revint à la charge Ambre.

Ses compagnons se moquèrent d'elle.

– Allons, taisez-vous ! dut crier le Sorcier avant de pouvoir continuer, sur un ton qui se voulait rassurant : c'est un phénomène peu courant, Ambre, mais tout à fait explicable ; les effets de la magie sur les individus dépendent de leur nature. Il est possible que tu y sois plus sensible que les autres.

– Maître Qadehar, demanda Gontrand avec un sérieux qui cachait quelque chose, vous dites nature, mais vous voulez parler de taille du cerveau, n'est-ce pas ? Aïe ! Aïe !

Il fallut de nouveau toute l'autorité du Sorcier pour ramener le calme, et tirer Gontrand des griffes d'Ambre. En même temps, un brouhaha dans la rue les alerta : les hommes de Thunku fouillaient la ville.

– Rester ici ne nous servira pas à grand-chose, annonça Qadehar. Ils finiront tôt ou tard par nous trouver. Notre seule chance maintenant est de tenter une sortie, et de gagner l'une ou l'autre des Portes par lesquelles vous êtes arrivés. Celle des Collines Mouvantes, peut-être, qui semble la plus proche. C'est très risqué, mais nous n'avons pas le choix.

Guillemot hésita un moment, puis fit un pas en direction de son Maître.

– Si. Il y a peut-être un autre moyen. Il existe une cérémonie étrange chez les Hommes des Sables, commença-t-il à expliquer. Pendant cette cérémonie, ils se tiennent par la main et ondulent, comme un serpent…

– Tous ensemble ? le coupa Coralie.

– Oui, tous en file derrière leur chef. Ils appellent ça la cérémonie de la Lune Morte. Vous savez pourquoi ?

– Bien sûr que non, répondit Romaric en haussant les épaules. Comment veux-tu que l'on sache ?

– Eh bien, poursuivit l'Apprenti, parce qu'elle est pratiquée pendant les nuits sans lune !

– Et alors ? interrogea Coralie.

– Qu'est-ce que l'on voit particulièrement briller, pendant les nuits sans lune ?

– Les étoiles, évidemment, dit Qadehar qui commençait à comprendre.

– Ce qui m'a étonné, dans cette cérémonie, s'emballa Guillemot, c'est à quel point elle ressemblait à l'ouverture magique des Portes : tout le monde se tenant la main, et qui adopte des *Stadha*, des postures de Graphèmes ; jusqu'au chef, qui récite une sorte de *Galdr* !

– C'est quoi ce charabia ? s'étonna Romaric.

– Tais-toi, lui intima Qadehar, qui se tourna vers Guillemot. Continue, s'il te plaît.

– Alors, j'ai relié tout cela à la légende qui dit qu'autrefois les Hommes des Sables passaient comme ils le voulaient d'un Monde à l'autre…

– Ce qui pourrait signifier, le coupa Qadehar avec un sourire éclatant, que les Hommes des Sables seraient en possession d'un très ancien sortilège permettant de voyager entre les Mondes sans emprunter de Porte ! C'est formidable ! Il faut se rendre de toute urgence dans le Désert Vorace et…

– C'est inutile, Maître, objecta Guillemot. J'ai noté dans mon carnet tout ce qu'il y avait d'important à propos de la cérémonie.

Le Sorcier se précipita vers lui et le prit dans ses bras, le serrant si fort qu'il faillit l'étouffer.

– Guillemot, Guillemot ! Bravo ! Je suis fier de toi.

Puis le Maître et l'élève se plongèrent, au milieu du cercle attentif et silencieux de leurs amis, dans le carnet à la couverture de cuir noir.

– À mon avis, se risqua Guillemot, tout a l'air en ordre dans le rituel. Si quelque chose cloche, c'est ailleurs.

– Tu as raison, mon garçon. Regarde : il n'y a rien qui te dérange dans les *Stadha* ?

Guillemot observa les dessins reproduisant fidèlement les Graphèmes qui lui étaient familiers.

– Non, je…

Il s'arrêta au milieu de sa phrase. L'évidence lui apparut comme le soleil en plein jour.

– J'ai compris ! Les Graphèmes qu'ils appellent pour leur cérémonie sont ceux du Pays d'Ys ! Dans le Monde Incertain, ils ont une autre forme, qui correspond aux constellations d'un ciel différent ! C'est pour cela que les Graphèmes que j'ai invoqués lorsque je me trouvais dans le marché de Ferghânâ et dans le Palais de Thunku m'ont semblé déformés, et que ni *Isaz* ni *Thursaz* n'ont réagi comme je l'attendais ! Le rituel que les Hommes des Sables accomplissent dans le désert est celui qu'ils ont dû voir pour la dernière fois, quand ils sont passés du Pays d'Ys au Monde Incertain ! Pour faire le chemin inverse, ils auraient dû modifier leur rituel en fonction de la position différente des étoiles, et donc des nouvelles formes de Graphèmes !

Guillemot se leva d'un bond et se mit à gesticuler de joie, sous le regard ébahi de ses amis et celui plein de tendresse du Sorcier.

Ils travaillèrent ensuite tous les deux à transcrire le sortilège selon les paramètres du Monde Incertain.

Pendant ce temps, Ambre et Coralie se mesurèrent à Gontrand et Romaric dans un jeu du Pays d'Ys qui consistait à se rappeler le plus grand nombre d'objets que l'on avait sous les yeux pendant seulement une minute.

Comme souvent cela se passait, les filles remportèrent les deux manches haut la main. Les garçons commençaient, comme d'habitude, à les accuser d'avoir triché, quand le Sorcier et son Apprenti se redressèrent.

– Ça y est, annonça triomphalement Qadehar, nous sommes prêts !

Au même moment, des coups violents ébranlèrent la porte de leur cachette.

– Dépêchez-vous ! Il n'y a plus une minute à perdre !

Coralie se hâta d'aller réveiller Agathe qui dormait d'un profond sommeil. Puis, suivant les indications du Sorcier, ils se prirent la main, comme lors du passage de la Porte des Deux Mondes. Une hache s'acharnait contre la porte, mais celle-ci, grâce aux sortilèges que Qadehar avait apposés dessus, tenait bon.

– Agathe, ça ira ? s'enquit Qadehar.

La fille hocha la tête. Elle avait récupéré un peu de force durant ces quelques heures de répit et se sentait mieux.

– Bien. Le processus est plus complexe que celui que Guillemot a utilisé avec vous au Pays d'Ys, expliqua Qadehar. Nous n'avons pas de Porte, et il va falloir en créer une ! Pour cela, chacun notre tour et sans se lâcher la main, nous allons reproduire avec notre corps la forme des Graphèmes du Passage. Je réciterai le sortilège en même temps… Soyez attentifs, appliquez-vous et tout ira bien. Nous ne pourrons pas faire plusieurs essais ! Vous y êtes ?

Ils acquiescèrent avec appréhension.

– Vous êtes sûrs cette fois que l'on ne va pas réapparaître séparés et n'importe où ? ne put s'empêcher de s'inquiéter Coralie.

– Ne t'en fais pas, la rassura Romaric. C'est un vrai Sorcier aujourd'hui qui part avec nous !

Ambre, qui, à la surprise générale, prenait depuis quelque temps la défense systématique de Guillemot jeta un regard noir à Romaric. Qadehar enjoignit chacun de ne pas perdre de temps. Il adopta rapidement huit postures successives, correspondant à huit Graphèmes du Monde Incertain. Agathe, Coralie, Ambre, Gontrand, Romaric et Guillemot l'imitèrent scrupuleusement. Le Sorcier chantait un *Galdr*. Après qu'il en eut prononcé le dernier mot, ils entendirent, comme cela s'était produit quelques jours auparavant à Ys, le bruit étrange d'une porte qui s'ouvrait. La pièce où ils se trouvaient s'estompa. À nouveau, ils se sentirent brutalement entraînés dans un effroyable tourbillon et plongèrent dans un trou noir.

40
Retour à Ys

Ils apparurent tous ensemble au beau milieu d'une lande qui leur était familière. Au loin, ils pouvaient apercevoir les scintillements de la mer.

– La lande des Korrigans ! La lande des Korrigans ! s'exclama Romaric. On est revenus chez nous ! On a réussi !

Il y eut des cris de joie. Ils se mirent à courir en tous sens, et Coralie embrassa même Qadehar sur une joue.

– Holà, holà ! fit le Sorcier plus ému qu'il ne voulait le montrer. Ne nous attardons pas, le soir approche ! Les Korrigans nous observent sans doute, et songent déjà aux mauvais tours qu'ils pourraient nous jouer !

Ils prirent la direction de Dashtikazar, bavardant et riant comme on peut le faire quand on revient d'une aventure qui aurait pu mal tourner.

– Vous ne nous avez pas dit, Maître Qadehar, lui demanda Gontrand qui marchait à ses côtés en compagnie de Romaric et de Coralie : comment est-ce que vous avez su que nous étions prisonniers de Thunku ?

– Connaissez-vous un géant bardé de cicatrices répondant au nom de Tofann ? Eh bien, après être sorti par la Porte, je me suis dirigé droit sur Ferghânâ, la ville la plus proche, pensant que vous aviez eu le même réflexe. À Ferghânâ, j'ai appris qu'un Petit Homme avait aidé un jeune esclave à s'enfuir. Sachant que des manteaux gris avaient été dérobés à Gifdu, et qu'il n'est pas dans les habitudes des gens de Virdu d'aider leur prochain, j'ai aussitôt pensé à vous ! Mes recherches m'ont ensuite conduit vers le Désert Vorace, puis sur la Route de Pierre où j'ai rencontré Tofann qui m'a mis sur vos traces. Voilà. Rien de bien sorcier, si j'ose dire !

– Maître Qadehar, demanda de nouveau Gontrand, pourquoi Thunku vous a-t-il appelé Azhdar le Démon ?

– Je bouleverse régulièrement ses plans : je suis un démon pour Thunku ! D'ailleurs, j'aurais dû penser tout de suite qu'il était, d'une manière ou d'une autre, pour quelque chose dans cette affaire d'enlèvement. Quant à Azhdar, c'est le nom que je prends quand je me rends dans le Monde Incertain. D'autres questions ?

Romaric ignora le ton ironique de Qadehar.

– Oui, Maître Sorcier : pourquoi Guillemot intéresse-t-il tant de monde, la Guilde, l'Ombre, et vous-même ?

– Je ne peux pas te répondre, mon garçon, parce que je l'ignore encore. Ou plutôt, je ne peux que te faire la même réponse : parce que la magie trouve en lui un écho profond.

– Et que ça excite la convoitise, je sais. Mais comment expliquez-vous que Guillemot arrive à faire, au bout de seulement trois mois d'apprentissage, ce que des Sorciers réalisent péniblement après des années de travail ?

– Le travail n'est pas tout, Romaric. Il existe pour chaque chose des individus plus doués que d'autres…

La réponse ne satisfit pas le garçon, mais, comme son cousin, il garda sa déception pour lui en se promettant de tout mettre en œuvre pour y voir plus clair.

Qadehar changea de sujet :

– Savez-vous, mes enfants, que vous allez devenir de véritables héros au Pays d'Ys ?

– Des héros ? Comment ça ? demanda Coralie.

– Réfléchissez : vous êtes allés dans le Monde Incertain, et vous en êtes revenus, alors que vous n'êtes pas des Poursuivants. Cela ne s'était jamais produit ! De plus, vous ne revenez pas les mains vides : vous ramenez à son père Agathe de Balangru, que vous avez tirée des griffes d'un homme redoutable. Et vous rapportez à la Guilde un sortilège extrêmement précieux, égaré pendant des siècles ! Que faut-il faire de plus pour devenir des héros ?

Ils débattirent ensuite, mi-sérieux mi-amusés, des avantages et des inconvénients liés à leur nouveau statut.

Pendant ce temps, fermant la marche, Guillemot réfléchissait. Il était encore trop tôt pour y voir clair : les événements s'étaient enchaînés si brutalement ces derniers jours ! Cependant, quelque chose ne collait pas, dans leur aventure du Monde Incertain comme dans les explications de Maître Qadehar. Il sentait confusément qu'ils faisaient tous fausse route, même s'il ne pouvait dire précisément pourquoi. Tout était encore embrouillé.

Il fut bientôt rejoint par Ambre et Agathe. L'atmosphère se tendit rapidement.

Ambre en effet ne supportait pas de voir Agathe poser de longs regards sur son ami.

– Guillemot, demanda soudain Agathe, est-ce que vous avez vraiment pris tous ces risques pour venir me délivrer, tes amis et toi ?

– Eh bien… oui, répondit-il en se demandant où elle voulait en venir.

– Malgré tout ce que je t'ai fait à l'école, tu es venu à mon secours ? continua Agathe.

– Ce n'est quand même pas la même chose de perdre un médaillon et de manier le balai toute sa vie, chaînes aux pieds ! ironisa le garçon.

Agathe s'arrêta net au milieu du chemin.

– Guillemot, j'ai quelque chose d'important à te dire.

– Ah ça, pas question ! explosa Ambre en s'avançant sur elle, les poings fermés.

– Du calme, Ambre, du calme, intervint Guillemot. Tu peux parler devant elle, Agathe, je n'ai rien à cacher à mes amis.

– Non, c'est à toi seul que je veux dire ce que j'ai à dire.

Ambre tourna vers Guillemot un regard à la fois menaçant et suppliant. L'élève de Maître Qadehar soupira et finit par exiger de son amie dont le comportement, depuis qu'il l'avait retrouvée, lui échappait :

– Ambre, rejoins les autres un moment. S'il te plaît.

Celle-ci foudroya une dernière fois Agathe du regard puis s'éloigna en bougonnant. Guillemot se tourna vers Agathe.

– Alors, qu'est-ce que tu voulais me dire de si important ?

– Au début, je comptais garder ça pour moi… Mais je me dis que tu as le droit de savoir. Même si c'est un renseignement très vague, et qu'il ne faut pas s'emballer.

– Eh bien, soupira Guillemot, je t'écoute.

– Voilà. Un soir, j'ai surpris une conversation entre Thunku et son Conseiller. Cet ancien prêtre est pire que son maître, crois-moi ! Enfin, ils parlaient à voix basse du Seigneur Sha.

– Sha ? J'ai déjà entendu ce nom…

– Le Seigneur Sha vit dans une tour, près de l'Océan Immense. On sait peu de choses de lui. On dit qu'il a de grands pouvoirs. Il n'est pas aimé, ni détesté d'ailleurs. En fait, les gens ont peur de lui. Je crois bien que Thunku est son seul ami. Enfin, si on peut appeler ça un ami !

– Bon, s'impatienta Guillemot, dépêche-toi !

– Ils se demandaient si Sha retrouverait un jour le fils qu'on lui a volé lorsqu'il est né, et qu'il n'a jamais connu. Un fils qui, aujourd'hui, aurait environ douze ans. Alors, comme je sais que quelqu'un veut à tout prix t'enlever, et comme le Seigneur Sha est en cheville avec Thunku, je me suis dit…

Elle n'acheva pas sa phrase. Guillemot regarda Agathe droit dans les yeux. Il était parfaitement calme, mais dans sa poitrine son cœur battait très fort.

– Merci, Agathe, finit-il par dire d'une voix qui tremblait légèrement. Même si je ne sais pas encore ce qu'il faut que je fasse vraiment de cette révélation.

Ils restèrent un moment ainsi, immobiles et silencieux. Finalement, Agathe reprit timidement la parole.

– Je crois qu'ils nous attendent.

Guillemot sembla émerger d'un rêve. Un peu plus loin, assise sur une pierre, Ambre le regardait, les bras croisés.

– Tu as raison. Allons-y.

En s'élançant sur le chemin, Guillemot ajouta :

– Tu me jures de ne rien raconter à personne ?

– Je te le promets.

Ils rejoignirent Ambre, puis tous les trois se mirent à courir pour rattraper leurs amis.

Dans le ciel, à l'heure où le crépuscule incendiait les nuages, les premières étoiles scintillaient doucement.

FIN

à suivre :

Le Livre des Étoiles

II. Le Seigneur Sha

Carnet
de Guillemot

Les Graphèmes

Ce sont les 24 lettres d'un alphabet magique, issu des étoiles, et qui permettent d'accéder au Wyrd. Comme des clés ouvrant et dévoilant l'intérieur des choses.
Un Graphème se caractérise : par le nombre (numéro d'ordre et position dans le groupe), par la forme (nom et apparence), par le contenu (associations symboliques ou surnoms, significations et pouvoirs).
Chaque Graphème possède plusieurs pouvoirs. Appelés dans sa tête (visualisés) puis projetés (criés ou murmurés), les Graphèmes ont un effet simple et direct.

> **Exemple :** pour ouvrir une porte fermée à clé, je me concentre, je pense très fort au Graphème Elhaz (il apparaît dans ma tête) et je murmure ou je crie son nom (selon la résistance de la porte).

Le Wyrd

C'est comme une gigantesque toile d'araignée dont les fils sont rattachés à tout ce qui existe. Les Graphèmes donnent accès au Wyrd, et permettent d'agir sur toutes ces choses. Comprendre et contrôler le Wyrd et ses mécanismes, c'est le secret de la magie.
Mais attention : puisque tout se touche dans le Wyrd, un acte insignifiant peut avoir des conséquences énormes ! C'est pourquoi Prudence et Humilité sont les maîtres-mots du Sorcier !
Et c'est pourquoi il faut beaucoup travailler, et acquérir de l'expérience pour devenir sage. Maître Qadehar me le répète tout le temps : « D'acte en acte, l'acte te mènera. De parole en parole, la parole te mènera… »

Le Galdr

C'est un sortilège dans lequel on utilise les Graphèmes en les associant. Le Galdr met en relation des pouvoirs qui s'additionnent. Les Graphèmes sont des mots, le Galdr est une phrase. Mais le simple nom des Graphèmes ne suffit pas.
Quand un Sorcier utilise un Graphème seul, il crée une relation entre un dominant (le Sorcier lanceur du sortilège) et un dominé (le Graphème lancé). Le Graphème répond par son nom, sans faire de manière.
Mais, dans un Galdr, le Sorcier relie des Graphèmes égaux entre eux. Il doit donc, pour les lier, les obliger à travailler ensemble. Pour cela, il les apprivoise en évoquant les surnoms dans lesquels se reconnaît chaque Graphème.

Exemple : le Galdr pour franchir la Porte du Monde Incertain. Il est assez simple puisqu'il n'utilise que deux Graphèmes (en fait, c'est un sortilège beaucoup plus compliqué et très puissant, gravé sur la Porte, qui permet le passage ! Mon Galdr sert surtout à le mettre en marche !). J'appelle Raidhu, le Graphème du voyage, et Eihwaz, celui qui permet la communication entre les Mondes. Dans mon esprit, je les oblige à se rapprocher et à s'accepter. C'est parfois long !
Ensuite, je leur demande d'agir ensemble : « Par le pouvoir de la Voie et de Nerthus (surnoms de Raidhu), d'Ullr et de la Double Branche (surnoms d'Eihwaz), Raidhu (le chariot) dessous et Eihwaz (l'ouvreur) devant, emmenez-moi ! RE (formule finale indiquant que les Graphèmes ont été liés) ! »

L'Önd

En fait, si le Wyrd est la source de la magie, et si les Graphèmes sont les instruments de la magie, c'est l'Önd qui permet l'exercice de la magie.
L'Önd, c'est le souffle vital du Sorcier, qui charge les Graphèmes en énergie. C'est pour cela qu'il existe des Sorciers plus puissants que d'autres : certains ont un Önd fort, d'autres un Önd faible. On ne peut rien faire, on naît avec. Cependant, comme le rappelle souvent Maître Qadehar, avoir un Önd fort ne dispense ni de l'étude ni de l'entraînement !

Les Stadha

On peut renforcer le pouvoir des Graphèmes grâce à des postures corporelles qui les imitent : ce sont les Stadha. En reproduisant la forme des Graphèmes, on charge son Önd (énergie intérieure) en captant les énergies extérieures (les courants telluriques par exemple). Un Graphème associé à une Stadha a beaucoup plus de force et d'impact.

Tous ces secrets à propos de la magie, à commencer par la révélation des Graphèmes, viennent d'un livre très ancien appelé *Le Livre des Étoiles*. Il contient d'autres secrets que les Sorciers ne sont pas encore parvenus à comprendre. Il a été volé il y a de nombreuses années et personne ne sait où il se trouve aujourd'hui.

Les Constellations

Dans le Monde Incertain, la position des étoiles dans le ciel est différente du Pays d'Ys. Pour cette raison, les Graphèmes, qui sont issus de certaines constellations, n'ont pas la même forme qu'à Ys. Cependant, ils conservent, avec quelques nuances, les mêmes pouvoirs.
Pour les utiliser, il faut les réajuster (retrouver leur forme correspondant au ciel Incertain) et se les réapproprier sous leur nouvelle apparence.

Le Corbeau

ᚢ (Uruz)

Les Gémeaux

ᛈ (Perthro)

Le Loup

ᛞ (Dagaz)

Les Pléïades

ᚠ (Fehu)

L'alphabet des Graphèmes

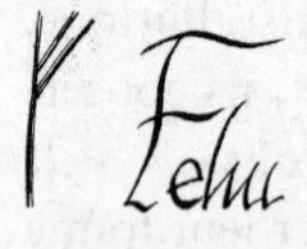

Fehu (F)

Ordre : premier Graphème
Association (surnom) : la Toile d'araignée
Significations : la création (feu cosmique) ; la richesse (bétail)
Pouvoirs : charge les objets en énergie ; capte l'énergie cosmique (du ciel)

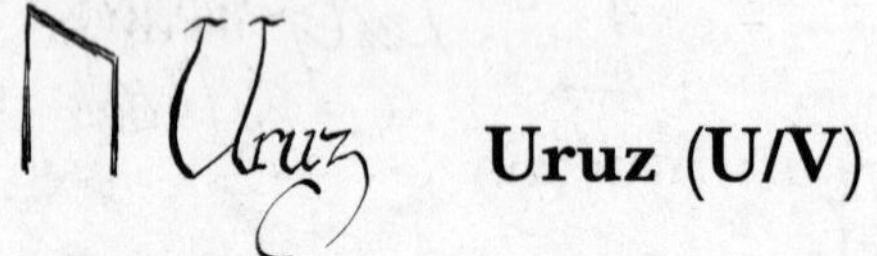

Uruz (U/V)

Ordre : deuxième Graphème
Association (surnom) : la Vache rousse
Significations : la force ancienne, archaïque (pluie) ; la fondation (Grande Mère)
Pouvoirs : apaise les esprits d'un lieu ; fixe et structure ; accroît l'effet des plantes ; capte l'énergie terrestre

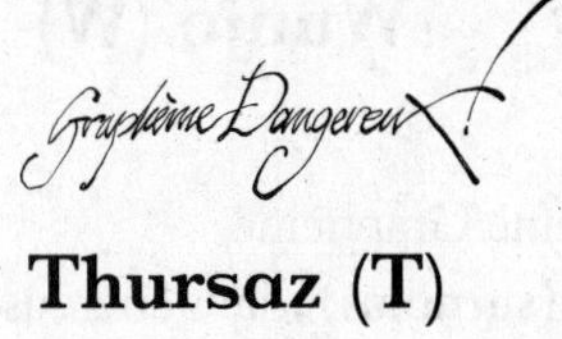

Thursaz (T)

Ordre : troisième Graphème
Associations (surnoms) : la Tête d'antilope, la Montagne
Significations : l'attaque, la défense (l'épine) ; la résistance brutale (le géant)
Pouvoirs : protège (si projeté) et capte l'énergie tellurique

Attention ! *(Délicat à utiliser)*

R Raidhu

Raidhu (R)

Ordre : cinquième Graphème
Associations (surnoms) : Reginn, Nerthus, la Voie
Signification : le Voyage (chariot)
Pouvoirs : véhicule ; donneur de cohérence ; agence et ordonne ; régit les correspondances ; concentre la force (énergie en spirale) ; indispensable aux transformations

ᚹ Wunjo Wunjo (W)

Ordre : huitième Graphème
Associations (surnoms) : la Généreuse, l'Étendard
Significations : joie et harmonie ; rassemblement des membres d'un clan
Pouvoirs : protège les groupes ; harmonise les actions des Graphèmes et aide à leur association

ᚾ Naudhiz Naudhiz (N)

Ordre : dixième Graphème
Association (surnom) : la Main
Significations : nécessité et détresse (feu de la survie) ; obligations liées au destin (prise de conscience)
Pouvoirs : neutralise les attaques magiques ; force de résistance aux agressions physiques; éveille (soi-même à soi-même)

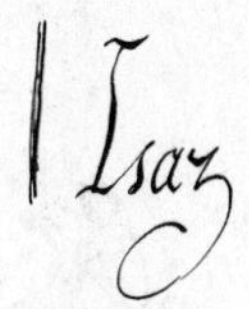

Isaz (I)

Ordre : onzième Graphème
Association (surnom) : la Brillante
Significations : l'immobilité originelle (la glace) ; la maîtrise de soi (anti-mouvement)
Pouvoirs : ramène l'énergie à soi, condense, retient ; aide à la concentration et renforce la volonté

Graphème Dangereux !

Eihwaz

Eihwaz (E)

Ordre : treizième Graphème (central)
Associations (surnoms) : Ullr, la Double Branche
Signification : l'axe (l'arbre d'if)
Pouvoir : permet la communication entre les Mondes (l'ouvreur)

Attention ! *(Délicat à utiliser)*

Perthro (P)

Ordre : quatorzième Graphème
Associations (surnoms) : la Propice, la Matrice
Significations : le guide dans le Wyrd (cornet à dés) et les chemins labyrinthiques
Pouvoirs : en relation avec le destin et ses lois ; renferme le mystère du Wyrd ; délivre ; transforme

Attention ! *(Délicat à utiliser)*

Elhaz

Elhaz (Z)

Ordre : quinzième Graphème
Associations (surnoms) : Njord, l'Aïeule
Significations : la Vie, l'Âme (le cygne)
Pouvoirs : enlève les verrous, débloque les situations (crépite quand il brûle) ; réponse aux forces hostiles ; protection magique

Ingwaz (NG/GN)

Ordre : vingt-deuxième Graphème
Associations (surnoms) : Ing, la Riche
Significations : énergie masculine ; fixation
Pouvoirs : concentration des énergies ; protection talismanique ; immobilisation (clou)

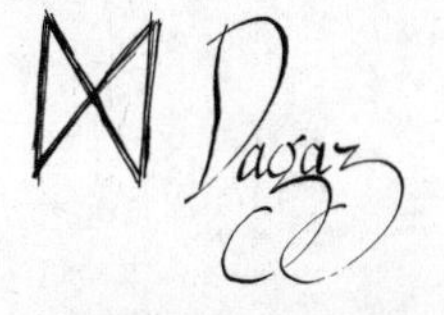

Dagaz (D)

Ordre : vingt-troisième Graphème
Associations (surnoms) : le Jour, les Cavaliers
Significations : la lumière du jour diffuse ; l'éternel retour (à chaque fois différent) ; le mystère des intervalles temporels
Pouvoirs : combat les esprits maléfiques, éloigne les événements néfastes ; permet l'invisibilité ; modèle et suspend le temps

Table des matières

Erik L'Homme

L'auteur

Erik L'Homme est né en 1967 dans le Dauphiné et passe son enfance dans la Drôme. Après des études d'Histoire à l'université de Lyon, il part à la découverte du monde pendant plusieurs années, avec son frère photographe. Le succès de ses romans pour la jeunesse, notamment la trilogie du *Livre des Étoiles*, celle de *Phænomen*, ou encore la série *A comme Association* écrite avec Pierre Bottero, lui permet aujourd'hui de partager son temps entre l'écriture et les voyages.

Du même auteur chez Gallimard Jeunesse

Le Livre des Étoiles
1 - Qadehar le sorcier
2 - Le Seigneur Sha
3 - Le Visage de l'Ombre

Contes d'un royaume perdu

Les Maîtres des Brisants
1 - Chien-de-la-lune
2 - Le Secret des abîmes
3 - Seigneurs de guerre

Phænomen
1 - Phænomen
2 - Plus près du secret
3 - En des lieux obscurs

Cochon rouge

Des pas dans la neige

A comme Association
1 - La Pâle lumière des ténèbres
3 - L'Étoffe fragile du monde
5 - Là où les mots n'existent pas
6 - Ce qui dort dans la nuit
7 - Car nos cœurs sont hantés
8 - Le Regard brûlant des étoiles

Le Regard des princes à minuit

Terre-Dragon
1 - Le Souffle des pierres
2 - Le Chant du Fleuve
3 - Les Sortilèges du vent

Le papier de cet ouvrage est composé de fibres naturelles,
renouvelables, recyclables et fabriquées à partir de bois
provenant de forêts gérées durablement.

Loi n° 49-956 du 16 juillet 1949
sur les publications destinées à la jeunesse
Numéro d'édition : 329665
Premier dépôt légal dans la même collection : février 2002
Dépôt légal : octobre 2017

Imprimé en Espagne par Novoprint (Barcelone)